D1193986

MODOC,
un amour d'éléphant

Ralph Helfer

MODOC,
un amour d'éléphant

ÉDITIONS FRANCE LOISIRS

Titre original : *Modoc*,
publié par HarperCollins Publishers.

Traduit de l'américain par Daniel Roche
et adapté par Philippe Delannoy.

Édition du Club France Loisirs,
avec l'autorisation des Éditions Laffont.

Éditions France Loisirs
123, boulevard de Grenelle, Paris
www.franceloisirs.com

Le Code de la propriété intellectuelle n'autorisant, aux termes des paragraphes 2 et 3 de l'article L. 122-5, d'une part, que les « copies ou reproductions strictement réservées à l'usage privé du copiste et non déstinées à une utilisation collective » et, d'autre part, sous réserve du nom de l'auteur et de la source, que les « analyses et les courtes citations justifiées par le caractère critique, polémique, pédagogique, scientifique ou d'information », toute représentation ou reproduction intégrale ou partielle, faite sans le consentement de l'auteur ou de ses ayants droit ou ayants cause, est illicite (article L. 122-4). Cette représentation ou reproduction, par quelque procédé que ce soit, constituerait donc une contrefaçon sanctionnée par les articles L. 355-2 et suivants du Code de la propriété intellectuelle.

© Ralph Helfer, 1997.
© Éditions Robert Laffont, S.A., Paris, 2001,
pour la traduction française.
ISBN 2-7441-4731-1

À ma fille Tana

PREMIÈRE PARTIE

La plus belle fille du monde

Mo est la plus drôle, la plus fantastique, la plus espiègle de toutes les filles du monde.

Nous sommes nés en Allemagne dans une ferme plantée au creux de la vallée Hagendorf au pied du mont Olymstroem, à l'orée de la Forêt-Noire.

Nous avons poussé nos premiers cris un matin gris et brumeux de l'année 1917. Mon père, Joseph, m'a pris dans ses bras et s'est exclamé : « C'est un garçon ! » Une minute plus tard, il s'écriait : « C'cst une fille ! »

Mes parents ont ajouté avec fierté : « Nous qui avons toujours voulu avoir un fils et une fille, nous sommes comblés ! »

Nés le même jour, à la même heure, Mo et moi veillons l'un sur l'autre comme un frère et une sœur.

La seule chose qui pourrait nous éloigner tient à nos tailles respectives. À cinq ans, je mesure un mètre vingt pour vingt-deux kilos. Elle, un mètre cinquante pour cinq cents kilos. J'ai beau avaler des litres de soupe, à dix ans, j'atteins péniblement un mètre cinquante pour trente-cinq kilos. Mo dépasse les deux mètres quarante et affiche trois tonnes et demie sur la bascule.

La plus belle fille du monde est une éléphante.

Mon histoire favorite est celle de ma première rencontre avec Mo.

« Pour te présenter, me raconte ma mère, Katrina, j'ai choisi une matinée de printemps. Une brise tiède apportait l'odeur de la forêt et les croassements des corbeaux de la montagne. Je t'ai pris dans mes bras, je t'ai parlé doucement et nous sommes entrés dans la grange. J'ai appelé : “Mo, Modoc ! Mosie !” Je vous ai mis, toi, mon enfant, et le bébé d'Emma, l'un en face de l'autre. Vous vous êtes regardés et vous êtes restés cois. Puis Mo a retroussé sa petite trompe. Elle l'a dirigée vers toi. Tu as levé la main. Tu as tendu un doigt pour la toucher. Tu as pris un air curieux, car tu as senti que c'était humide. Mo a flairé soigneusement ta main en faisant glisser le bout de sa trompe sur chaque doigt puis sur la paume. Tu as souri. Un large sourire heureux. Elle a poussé un couinement joyeux. Tout de suite, vous vous êtes adorés.

« Tu n'as plus voulu la quitter. Tu exigeais de la nourrir. Tu tenais la cruche de lait pendant qu'elle s'abreuvait. À son tour, elle prenait ton biberon et le collait dans ta bouche. De temps en temps, elle le retirait pour téter. Tu criais. J'accourais. Mo, dans sa hâte, glissait la tétine du biberon dans ton nez ou dans une oreille de peur d'être prise sur le fait. »

Mon autre histoire favorite est celle de mes parents. Je veux tout savoir. Comment sont-ils tombés amoureux l'un de l'autre ? Comment s'y sont-ils pris pour m'engendrer ?

D'après ma mère, Joseph était un jeune homme élancé d'un mètre quatre-vingts, avec des hautes pommettes saillantes qui le faisaient paraître plus grand. Katrina a été conquise par la tendresse et la douceur qui illuminaient son visage.

Joseph savait cultiver les champs, s'occuper d'un cheptel, mais sa passion pour les pachydermes le rendait différent des autres hommes du pays. Elle faisait de lui un garçon merveilleux et doué. Ma mère s'est laissé prendre au charme de l'homme qui parle aux éléphants.

Aujourd'hui, Katrina n'a pas changé d'avis sur Joseph. Même si parfois je l'entends se plaindre qu'il montre plus d'amour à ses éléphants qu'à elle. Il vaut mieux, précise-t-elle, avoir pour rivales de grands mammifères ongulés à la peau rugueuse qu'une autre femme. Quant à ma conception, j'ai fini par apprendre qu'il leur avait fallu dix ans de tentatives « acharnées » pour parvenir à me mettre au monde.

Le résultat ? J'ai les cheveux blonds et les yeux bleus de Katrina, l'allure élancée et les expressions de Joseph. Surtout, j'ai hérité de sa passion. Lorsque je cours dans le pré avec Mo, main dans la trompe, Katrina se tourne vers son mari et lui jette, avec une pointe de reproche : « Tu peux être sûr que c'est bien ton fils ! » Mon père lui réplique : « Regarde-les ! Bram et Mo sont faits l'un pour l'autre. Leur entente est la plus belle chose que je connaisse ! »

Un chemin de terre creusé d'ornières relie la maison jaune pâle de style suisse allemand où j'habite à la vieille grange où loge Mo. C'est une magnifique bâtisse qui semble surgir de la terre elle-même. Je la préfère à notre maison. Ses angles ressemblent à de petits volcans qui auraient craché des pierres tout autour.

Depuis des années et des années, la charpente en bois délabré résiste aux bourrasques hivernales.

Notre vallée est le plus souvent couverte par le brouillard de la Forêt-Noire. En hiver, elle reçoit les vents froids qui soufflent des cimes glacées des Alpes.

Je pousse la lourde porte de la grange. Aussitôt, le parfum de la luzerne, de l'avoine, du savon pour le cuir et l'odeur des animaux me fouettent les narines. Je grimpe sur les meules de foin empilées contre un mur qui dessinent de hautes marches rectangulaires jusqu'au plafond. J'atteins les énormes chevrons qui assurent la solidité de la charpente et je surplombe les stalles, les harnachements, les mangeoires pour les bêtes.

Au fond, dans la pénombre, je distingue les contours d'une colossale silhouette qui fait de la vapeur. La forme ressemble aux locomotives sifflantes et fumantes qui attendent dans le dépôt obscur de la gare de Frankfort. Il s'agit d'Emma, une superbe éléphante grise. Sa fille, entre ses pattes, mâchonne un ballot de foin.

Du haut de ma cachette, je crie : « Mo ! » Un barrissement tonitruant me répond. Je descends comme une flèche. Mo enroule sa trompe autour de ma taille et me serre contre sa peau en émettant des gargouillements. Je colle l'oreille contre sa poitrine pour mieux entendre le grognement de satisfaction qui monte de sa gorge.

Un petit homme bossu surgit de sous les pattes d'Emma. Il s'appelle Curpo. Il s'occupe des éléphants et du bétail, vaches, chèvres, porcs, et aussi des oies et des poules qui assurent notre subsistance. Curpo mesure un mètre vingt et son menton est aussi proéminent que sa bosse. Il porte des culottes de peau et une chaîne en or autour du cou. Il vit jour et nuit dans la grange. C'est tout à fait insolite de voir le plus grand animal du monde travailler avec l'un des plus petits humains. Emma s'est habituée à lui. S'il se trouve sous sa patte et qu'elle veut avancer, elle le repousse délicatement sur le côté. S'il la contrarie, elle le soulève avec sa trompe et le dépose sur un tas de foin. Elle ne l'a jamais blessé. Elle le traite comme un égal. Ou peut-être comme un éternel éléphanteau.

Curpo prend le crochet, l'outil dont on se sert pour maîtriser les éléphants, et conduit Emma dehors. « Baisse-toi ! » ordonne-t-il. Elle s'accroupit, retourne sa trompe en l'air et fait doucement rouler son énorme corps sur le côté. Curpo, armé d'un tuyau d'arrosage, d'un balai-brosse, d'un racloir, d'une grosse éponge et d'un canif, entreprend la toilette de la dame. Il asperge l'énorme masse de chair ridée. Il ne néglige aucune crevasse. Avec le racloir il creuse et fourrage dans la moindre petite coupure, entaille, écorchure ou morsure d'insecte. Il verse un filet d'eau oxygénée dans chaque blessure et une petite vapeur chaude monte. Ces moments-là mettent Emma en extase.

Curpo appuie une échelle contre son flanc et gagne la place du cornac. Après avoir tiré l'échelle, il s'installe sur une selle en rotin attachée au cou de l'éléphante. Il cale ses pieds dans l'entrelacs des tiges. Puis, à l'aide du crochet, il envoie le signal du départ. Emma s'ébranle sur le chemin de terre en balançant son gros derrière.

Mo et moi courons devant, main dans la trompe. Mo va vite ! Elle me laisse sur place et se laisse tomber sur la poitrine. Elle laboure quelques mètres de prairie en poussant avec les pattes arrière puis balance les fleurs arrachées au-dessus de sa tête, projetant dans le ciel une averse de couleurs vives.

Nous suivons des pistes qui traversent des taillis, des prairies et de petites clairières remplies de fougères et d'herbes vertes luisantes. Ce sont les nourritures préférées d'Emma. Curpo lui lâche la bride. Elle mange la délicate végétation qui pousse en lisière de la Forêt-Noire. Pendant ce temps, Mo et moi nous nous échappons vers notre lieu secret : une clairière plus grande que les autres. Elle n'est pas recouverte par le dais de la forêt, le soleil l'illumine et réchauffe des milliers de fleurs multicolores que les villageois appellent la « couverture de Dieu ». Elles mêlent des rouge cramoisi, des pain brûlé, des bleu ciel, des violet foncé et d'autres teintes qu'on ne voit que dans les lieux magiques.

Je me tiens au milieu des fleurs, bras tendus, yeux fermés pour respirer leur parfum. Mo, les oreilles écartées, les yeux à moitié fermés et la trompe en l'air, fait semblant de faire comme moi. Soudain elle me soulève du sol avec sa trompe et me jette dans les fleurs. Je proteste vivement. Elle penche la tête, écarte les oreilles, cale le bout de sa trompe par terre et pousse un grognement guttural qui est sa façon de dire que tout ça c'est pour rire. L'autre jour, d'humeur extrêmement facétieuse, elle m'a lâché dans un petit ruisseau puis a couru de toutes ses forces en ruant des talons et en barrissant de satisfaction.

— Il y a des moments, papa, quand je joue avec Mo, j'ai l'impression de comprendre ce qu'elle pense et qu'elle aussi connaît mes pensées. Comme si nos cœurs battaient au même rythme. Comme si elle faisait vraiment partie de notre famille.

En m'écoutant, les yeux de Joseph s'embuent d'émotion. Il m'attire dans ses bras et me dit :

— Vous êtes spéciaux tous les deux ! Tu ne verras jamais quelqu'un t'aimer comme elle t'aime !

Une nuit, un craquement violent arrache mon père au sommeil. Il dévale les marches de l'escalier, sort et découvre l'éléphanteau qui va et vient devant la maison en barrissant. Mo a arraché sa chaîne et défoncé l'une des portes de la grange. Il ne l'a jamais vue agir ainsi. Elle se balance d'avant en arrière en poussant d'énormes cris. Les pensées de mon père s'emballent. Il se précipite dans ma chambre et me découvre délirant de fièvre dans mon lit. Il enveloppe mon corps dans une couverture et me transporte vers le camion pour me conduire à l'hôpital. Mo le suit, cherchant avec sa trompe à me palper le visage. Elle court en barrissant derrière le camion jusqu'à ce qu'il disparaisse. J'avais contracté un virus. Les médecins ont félicité mes parents pour avoir décelé le mal et agi à temps. Nous nous sommes bien gardés de leur dire que je devais la vie à l'instinct d'une jeune éléphante que je considère comme une sœur jumelle. Sinon, les Gunterstein seraient passés pour une famille de fous à travers tout le canton !

Curpo charge des bananes, des pommes, du pain qui devraient permettre à Emma de supporter le voyage jusqu'à Hasengrossck. Joseph la guide pour qu'elle entre dans la remorque. Emma barrit en fouettant l'air de ses oreilles. J'attends dans la cabine du camion. Assis très haut, je vois loin devant moi. Le vrombissement du moteur procure une impression de puissance. Mais je n'ai que douze ans et je dois céder le volant à mon père.

Le camion descend lentement le chemin de terre vers la route principale. Les grosses mains de Joseph tiennent fermement le volant pour maintenir le poids lourd bien en ligne. À chaque virage, il a besoin de toute son expérience et de son doigté pour contrebalancer les oscillations d'Emma. Son corps de trois tonnes fait tanguer la remorque. Il suffirait qu'elle perde l'équilibre, même légèrement, pour qu'on valse dans le fossé. Joseph fait attention.

— Un jour, tu prendras ma place sur la piste, me lance-t-il joyeusement en allumant une cigarette.

Pendant la belle saison, Joseph présente un numéro dans un cirque établi dans le village voisin de Hasengrossck.

J'aperçois le grand chapiteau aux larges rayures rouge et or, dressé sur la place des Fêtes, avec les immenses caractères peints au sommet : *WUNDERZIRCUS*. Au-dessous, en plus petit, je lis : *Le plus grand spectacle du monde.*

Le Wunderzircus comprend un chapiteau principal, six petits chapiteaux et celui de la ménagerie. Le grand chapiteau contient trois à quatre cents spectateurs. Quatre énormes poteaux sont alignés au milieu. La piste est délimitée par un cercle de rails de chemin de fer. À l'intérieur du cercle, on a répandu une épaisse couche de sciure de bois.

Deux chameaux, trois lamas, six chèvres, deux tigres, un lion, trois chimpanzés, un ours, un très grand python et nos éléphants composent la ménagerie du Wunderzircus.

Mon père gare le camion sur la pelouse du cirque. Les couleurs chatoyantes, le « oum-pah-pah » de l'orgue à vapeur, l'odeur puissante des animaux, la barbe à papa, le pop-corn au beurre, le bonimenteur et son : *Approchez, approchez, mesdames et messieurs, approchez, les enfants ! Venez voir les hommes les plus grands, les plus forts et les plus lourds du monde !,* tout cela crée un monde de rêve qui libère les émotions refoulées et chasse les soucis. Dans l'univers du cirque, l'impossible se transforme en réalité. La vie redevient belle et merveilleuse.

Curpo manœuvre la rampe. La foule s'écarte pour ne pas gêner la lente descente de l'éléphante.

Le numéro de mon père est l'attraction préférée du public. Emma est au centre de la piste ; à sa gauche, Krono, un jeune mâle ; à sa droite, Tina, une petite timide, toujours en retard d'un temps sur la musique. Les éléphants dansent, dressés sur leurs pattes arrière. Ils valsent, sautent à cloche-pied, à la corde et font même le poirier. Pour le final, Emma s'assoit et relève la trompe en un arc triomphal. Krono et Tina appuient leurs pattes avant sur ses épaules. Joseph grimpe sur le cou d'Emma puis se dresse sur le sommet de son crâne, les bras levés. Les applaudissements sont toujours formidables.

La grande dame franchit le passage couvert. Elle longe les baraques foraines en basculant son gros arrière-train. Une nuée d'enfants la suit joyeusement.

Dans les kiosques, les gens du spectacle vendent des escalopes viennoises, du pop-corn, des bonbons, des glaces et des boissons, pour arrondir des fins de mois très difficiles.

Mon rêve est de m'occuper de Mo. Je ne tiens pas vraiment à suivre les traces de papa. Le métier de dresseur est dur, mal payé et précaire. Surtout, le sort des artistes dépend de l'humeur du propriétaire du cirque.

J'épie mon père du coin de l'œil : son visage est lumineux. Le travail à la ferme l'assombrit. Au Wunderzircus, sa bonne tête rayonne.

Emma rejoint Krono et Tina sous le chapiteau des animaux. Je lui attache une chaîne à la patte arrière gauche tandis que Joseph lui attache la patte avant droite. Les chaînes ne sont pas très serrées. Les éléphants les sentent à peine. Elles servent surtout à leur épargner le stress.

J'expédie une bonne grosse claque sur la croupe de la belle Emma en lui promettant de veiller sur Mo et je cours rejoindre mon père.

Je le retrouve en affaire avec un petit homme rondouillard qui jette sur tout ce qu'il voit des regards perçants : c'est Franz Gobel, le propriétaire du Wunderzircus. Mon père le craint. *Herr* Gobel est un vieillard autoritaire que la moindre contrariété peut rendre odieux. Je l'entends demander :

— Comment va la petite, Joseph ?

Je dresse l'oreille dès qu'on parle de Mo.

— Très bien, monsieur, comme Emma.

Franz Gobel se tourne vivement vers l'éléphante, qu'il aperçoit à l'entrée du chapiteau de la ménagerie.

— Continuez à bien vous occuper de la petite, et il y aura un peu plus d'argent dans votre paye. À moins, bien sûr, que d'ici là un problème ne survienne, hein, Joseph ?

Mon père baisse la tête et lui demande :

— Comment va votre santé, *Herr* Gobel ?

— Comment voulez-vous qu'elle aille bien ? Ce satané cirque me prend tout mon argent, et même celui que je n'ai pas !

Il s'éloigne, furieux contre tous. Je le regarde filer de sa démarche vacillante vers le grand chapiteau en cinglant de sa canne les divers papiers et détritus qui jonchent son chemin. Il me fait penser à un pingouin irascible.

Nous regagnons le camion. Mon père marche en gardant le silence. Des rumeurs affirment que Gobel complote de vendre le Wunderzircus à un riche Anglais pour payer ses dettes. D'autres soutiennent qu'il veut s'acheter une villégiature en Italie pour mieux soigner sa santé chétive. Quoi qu'il en soit, tous les ans, la menace d'une fermeture plane sur le Wunderzircus. Le propriétaire se garde bien de confirmer ou d'infirmer la rumeur. Il se répand en lamentations sur l'état de sa santé et tient ainsi le personnel en respect.

L'idée de perdre les éléphants tourmente Joseph au point de le rendre malade.

Les dresseurs ne sont pas propriétaires de leurs animaux. Ils sont trop pauvres pour acheter les lions, les tigres, les éléphants et subvenir à leurs besoins. *Herr* Gobel possède les animaux. Les artistes ne possèdent que leur savoir-faire pour les dresser et les soigner.

À l'angoisse de la fermeture du cirque s'ajoutent les origines juives de mon père, qui déplaisent au propriétaire pour des raisons que je ne comprends pas. L'attitude méfiante et chafouine du vieux Gobel blesse Joseph dans son âme.

Depuis plusieurs mois, il est pris de quintes de toux. Le docteur lui a demandé de cesser de fumer, mais Joseph continue à griller deux paquets par jour. Il éprouve le besoin de fumer pour supporter l'angoisse de perdre les éléphants.

Il me paraît impossible que l'on puisse séparer les dresseurs de leurs animaux. J'ai vu mon père veiller des nuits entières pour soigner Emma. Pendant la guerre, il se privait pour la nourrir. La relation entre un être humain et une bête de cirque est unique. Pour certains, d'ailleurs, elle dépasse l'entendement. C'est ce qu'on appelle la passion.

Sur la route, je pense à autre chose. Mo s'attend à retrouver sa mère. D'habitude, Emma part le week-end pour le spectacle et revient le dimanche soir passer la semaine à la ferme. Seulement, Mo est devenue une grande fille. Va-t-elle comprendre qu'elle est devenue grande d'un seul coup ? Elle va être affolée de ne pas retrouver Emma.

Je me tortille sur le siège du camion en mâchonnant une brindille. Une idée me trotte dans la tête. Avant d'oser la formuler, je préfère demander à mon père :

— Pourquoi Emma dort-elle debout et Mo couchée par terre, papa ?

— Quand les éléphants deviennent adultes, ils se couchent rarement, à cause de leur taille et de leur poids énorme. Cela gêne la circulation dans leurs jambes et pourrait les ankyloser. S'ils ne sentent pas leurs jambes, ils sont incapables de se tenir debout. De plus, leur estomac ne se vide pas correctement, ce qui peut entraîner leur mort. Dans la nature, les éléphants adultes ne dorment que quelques minutes d'affilée. La captivité change leurs habitudes et par conséquent leur rythme de sommeil. Tu as une autre question ?

— Oui. Si je voulais dormir avec Mo, comment je ferais ? Si elle oublie que je suis là et qu'elle me roule dessus ? Elle pèse deux tonnes !

— Si je voulais dormir avec un éléphant, répond Joseph en souriant, je dormirais tête contre tête. Alors, je n'aurais pas à craindre qu'elle me roule dessus.

Le soir, dans la grange, je suis couché dans le noir, à côté de Mo, tête contre tête. Impossible de fermer l'œil. L'odeur de l'avoine mêlée à celle de la luzerne me suffoque.

Un « bang » violent éclate. La trompe de Mo s'agite, cherchant frénétiquement du secours. Je lui parle doucement. Elle m'attrape la main en la serrant très fort. Elle tremble de nervosité. Je la caresse en murmurant : « Ce n'est rien, ce n'est qu'une fenêtre qui claque. » Le silence retombe. De temps en temps, en remuant la patte, Mo fait cliqueter la chaîne qui la fixe au sol contre une plaque d'acier. Vers minuit, je commence à m'assoupir, bien enroulé dans une couverture, mais je sens que Mo frissonne de froid. Je connais le sentiment d'avoir perdu sa mère. Un jour, Katrina s'était absentée pendant longtemps, et j'avais eu froid toutes les nuits jusqu'à son retour. J'ai de la peine pour Mo. Le corps d'Emma devait lui prodiguer une chaleur réconfortante.

Ne voulant pas mettre en route le générateur électrique qui alimente le chauffage de peur de réveiller toute la maison, je me lève, l'esprit mobilisé par l'idée suivante : je vais couvrir Mo de foin.

J'allume une bougie. Je défais des ballots. Armé d'une fourche, je répands le foin sur Mo, mais elle ne cesse de bouger et je dois recommencer. Lorsque j'ai terminé, elle disparaît sous une montagne impressionnante de fourrage.

— Mo ? T'as chaud ?

Une trompe surgit de sous le foin. Elle éternue en expulsant une bouffée de poussière.

— Mo, ça va ?

Je me recouche tête contre tête et replonge dans la chaleur de la couverture. Une heure plus tard, je ne l'entends plus respirer. L'aurais-je étouffée sous le foin ? Je pince l'extrémité de sa trompe. Un torrent d'air jaillit comme d'une Cocotte-minute, si violent qu'il me renverse sur le dos.

Mo se dresse sur ses pattes, furieuse. Du haut de ses deux mètres quarante, elle lève sa trompe sur moi en exprimant son vif mécontentement d'avoir été tirée du sommeil. Je me confonds en excuses. Et on se recouche.

Au petit matin, je sombre dans le sommeil. Je rêve que je m'évade sur le dos de Mo loin de la grange, surtout loin du Wunderzircus de *Herr* Gobel.

Mes songes s'inspirent de la légende que mon père m'a racontée. L'éléphante indienne mesurait plus de six mètres de haut et pesait cinq tonnes. Aussi douce qu'une souris, elle pouvait accomplir tout un numéro sans dresseur. Cet animal fabuleux s'appelait Modoc. C'est en pensant à elle que mon père a donné comme nom officiel à mon « éléphante jumelle » celui de Modoc. Il est convaincu que l'esprit de la grande Modoc revit à travers la petite Mo.

Si c'était vrai ? Dans cc cas, Mo serait un éléphant magique ! On pourrait s'envoler au-dessus de Hasen-grossck, narguer au passage l'irascible *Herr* Gobel, et partir loin, plus loin que Frankfort, vers l'océan !

Je fais les ongles de Mo. J'ai besoin de m'occuper l'esprit. Hier, le docteur a été appelé en urgence pour soigner papa. Ses ulcères le font souffrir et ses quintes de toux sont terribles. Au début, les médicaments le remettaient sur pied. Depuis quelque temps, leur efficacité est presque nulle. Le docteur ne comprend pas le lien entre les ulcères et la toux. Il a éliminé la possibilité d'une tuberculose. En fait, il est déconcerté. Les soucis de Joseph déclenchent les crises. Cette année, Franz Gobel n'a pas caché à mon père qu'il allait être obligé de vendre le Wunderzircus, à moins qu'une fois encore il ne trouve de l'argent à la dernière minute. Contre la menace d'une pareille catastrophe, la médecine du docteur Kreiss ne peut rien.

Pendant que je lui rabote une patte, Mo trouve malin de me chatouiller avec sa trompe. Pour tailler les ongles de la demoiselle, la méthode à suivre est semblable à celle que j'exerce sur moi-même quand j'utilise les instruments de la trousse à manucure de ma mère. La différence réside dans la taille des ciseaux et des limes.

J'entends tousser. C'est papa. Il vient par le sentier. J'ose à peine lever les yeux tant il me paraît vieux et fatigué. Je fais de mon mieux pour le soulager. Je conduis le tracteur et je trace des sillons presque aussi droits que les siens. Je fais boire les bêtes. Je les lave. Autant de boulot en moins pour lui.

Joseph prend un tabouret et s'assoit à côté de moi.

— Tu as treize ans, Bramy. Tu travailles bien. Tu m'apportes une aide précieuse. Alors, voilà, j'ai quelque chose pour toi.

Il dépose sur mes genoux un objet enveloppé dans une peau de chamois. Je découvre un crochet gravé, le plus beau que j'aie jamais vu. Il mesure cinquante centimètres de long et six centimètres de large. La poignée est faite d'une racine en bois de teck indien. L'extrémité en acier trempé se sépare en deux pointes, l'une droite, l'autre recourbée vers le manche, et toutes deux arrondies au bout. Le crochet est entièrement incrusté d'éléphants sculptés découpés dans le même bois exotique que le manche. Sur la face interne, tout en bas, je peux lire une série d'initiales gravées, celles des cornacs à qui il a appartenu. Les miennes, B. G. (Bram Gunterstein), ont été apposées par mon père.

— Ce crochet appartient à notre famille depuis plusieurs générations, me dit Joseph. Mon père me l'a donné quand j'avais ton âge. À ton tour de l'utiliser.

Il se lève lentement et ajoute :

— Désormais, tu peux emmener Mo en forêt quand tu voudras. N'oublie jamais que les éléphants sont grands et forts mais qu'ils ont besoin de ta protection devant ce qu'ils ne connaissent pas.

J'embrasse mon père et le remercie. Je m'oblige à penser que le cirque ne fermera pas. Le vieux tyran de Franz Gobel est un menteur. Le malheur ne viendra jamais jusqu'à chez nous.

Je passe l'après-midi avec Mo dans notre clairière magique. Couché sur le dos de l'éléphante, les pieds calés sous ses oreilles, je m'assoupis d'aise. Le soleil me caresse la peau. Tous les soucis s'évanouissent.

— Ça va, là-haut ? fait une voix.

Je me redresse et je cherche devant, derrière, à droite, à gauche, d'où vient la voix.

— Êtes-vous toujours aussi mal élevé ?

Je me penche.

— Où êtes-vous ?

— Ici ! fait la voix.

Accroché à la corde qui pend au cou de Mo, je me renverse et finis par apercevoir une robe rose et une paire de jambes.

— Voulez-vous sortir de sous l'éléphant que je puisse vous voir ?

Une fille de douze ans aux cheveux châtain-roux et aux yeux noisette apparaît. Elle présente un visage souriant, doux et confiant. Elle mange du pop-corn qu'elle partage avec Mo.

— Je m'appelle Gertie, fait le visage souriant.

— Et moi, Bram.

— Est-ce ton éléphant ?

— Non, il appartient au Wunderzircus qui est en ville... Je le dresse pour le cirque.

— Comment s'appelle-t-il ?

— C'est une éléphante. Elle s'appelle Modoc. Mo pour les intimes.

Gertie caresse la trompe de Mo. Son sourire doux, sa confiance me touchent.

— Tu veux grimper ?

— Bien sûr ! fait Gertie.

Elle tourne autour à la recherche de quelque chose. Je prends un ton légèrement narquois pour lui demander :

— Qu'est-ce qui ne va pas ?

Elle sourit.

— Je cherche l'échelle.

— Serais-tu froussarde ?

— Moi ? dit Gertie, outrée.

— Mets-toi devant l'éléphante, et ne bouge plus.

Elle se place timidement devant la grosse tête de Mo. Je donne l'ordre :

— Lève !

Mo enroule sa trompe autour de Gertie, la soulève doucement, l'élève vers moi ; je saisis la jeune fille et l'aide à s'asseoir sur le dos de ma monture.

— C'est vraiment haut ! s'exclame Gertie.

— Tu n'as pas tout vu !

Je donne un petit coup de crochet. Mo s'ébranle. Nous ballottons, serrés l'un contre l'autre, sous ses longues et paisibles enjambées à travers la forêt.

— Tu n'as pas mal au cœur ?

— Non, mais c'est haut, répète Gertie.

Nous gagnons la rive du lac Cryer. Les eaux bleu-vert sont calmes et peu profondes. Les animaux sauvages viennent y boire la neige fondue qui ruisselle des sommets des Alpes.

Des bandes de corneilles planent sur nos têtes et se répandent en croassements. Sans hésiter, Mo entre dans l'eau. L'étroite bande de terre disparaît bientôt sous ses pattes et elle se met à flotter. Elle se laisse dériver sous les rayons du soleil qui percent l'ombre des branches surplombant le lac. De temps en temps, quand ses pattes touchent le fond, elle donne un coup de talon qui accélère sa rotation. Mo peut flotter des heures durant. Enchantée, impressionnée, Gertie se pelotonne dans mes bras. Une étrange et chaude sensation m'envahit, et je frissonne malgré le soleil brûlant.

Nous regagnons la grange au moment où mon père et Curpo rentrent le bétail. Je leur présente Gertie. Elle habite une ferme à quelques kilomètres de chez nous. Mon père surprend l'expression de mon regard. Il dit en souriant :

— Je suppose que nous aurons le plaisir de te revoir, Gertie.

Mo marche avec une grâce innée. Un épais tapis de corde, rembourré par un grand édredon fait main, est posé sur son dos. Il est suffisamment spacieux pour que Gertie et moi puissions nous étendre. Grâce à son cadre rigide en bambou, il demeure horizontal. Le panier de pique-nique est suspendu à l'arrière de la selle.

Pour partir en balade, Gertie a choisi de passer une robe blanche en coton à l'encolure garnie de fleurettes. Je suis en short et j'ai emprunté une chemise à mon père. Je flotte dedans.

Nous descendons dans une vallée bordée de pins géants. Un torrent coule en son creux. De temps à autre, Mo plonge sa trompe dans l'eau fraîche pour une goulée rapide. Par espièglerie, elle en profite pour nous asperger. Et barrit de plaisir en nous entendant crier.

J'admire Gertie, discrètement. La moindre brise fait tourbillonner sa chevelure soyeuse mais, quand le vent cesse, chaque cheveu retombe à l'endroit exact où il se trouvait auparavant. Soudain je la vois ramper vers l'arrière du tapis. Méprisant le vertige, elle se met debout.

— Regarde, Bram, fait-elle. Je suis danseuse acrobate !

Elle se balance d'avant en arrière au rythme d'une musique imaginaire. Mo ralentit le pas pour atténuer les à-coups. Dansant sur le large dos de l'éléphante, Gertie semble flotter. Elle pivote sur elle-même, lève un bras en croissant de lune au-dessus de sa tête. Les dentelles de sa robe remontent en ondulant. La tête renversée en arrière, elle tourne comme une ballerine dans une boîte à musique. Le vertige la saisit et elle tombe dans mes bras. La chaleur de son corps allume dans mes reins un feu intense. Elle pose ses lèvres sur les miennes. Je ferme les yeux. Elle est mon premier amour. Elle est l'Amour.

Mo mugit, frappe le sol d'un coup de trompe et se dirige vers le lac Cryer qui incurve ses rives à perte de vue au cœur de la Forêt-Noire. La surface de l'eau, aussi lisse que du verre, explose lorsqu'elle laisse choir son corps dans le lac, projetant d'immenses gerbes d'eau. J'ôte mon short et ma chemise. La baignade est trop tentante. Gertie retire sa robe et garde ses seuls sous-vêtements. Nous plongeons tête la première. Mo donne des coups de tête dans l'eau d'avant en arrière pour créer des vagues qui nous submergent. Elle m'attrape avec sa trompe et me dépose sur le sommet de son crâne afin que je puisse plonger de plus haut. Gertie n'échappe pas, elle non plus, à la tentacule de Mo.

Je repère un vieux pin. Le sol couvert d'aiguilles vertes offre un emplacement idéal pour pique-niquer. Mo a trouvé un banc de sable à fleur d'eau. Elle s'étend et se gratte les flancs à satiété. Après le festin, Gertie s'endort, la tête sur mon épaule. Un peu plus loin, Mo somnole en faisant sécher au soleil la partie de son corps couverte de boue. Des oiseaux se posent sur sa carapace et picorent cette écorce grise et ridée à la recherche d'une hypothétique friandise.

La fraîcheur du vent nous réveille. Perchés sur le dos de Mo, nous nous dirigeons vers la maison. Gertie, bercée par la souple démarche de l'éléphante, se tient pelotonnée dans mes bras. Le soleil descend lentement sous l'horizon. C'est la fin de l'été. Je me dis que je suis le garçon le plus heureux de la Terre.

Des silhouettes d'arbres squelettiques se dressent contre le ciel froid et gris. L'eau cesse de couler. Lacs et rivières se changent en glace. Une épaisse couche de neige recouvre la campagne et s'accumule aux abords de la vieille grange. Je n'aime plus l'hiver car la tempête et le mauvais état des routes m'empêchent de voir Gertie. Je ne cesse de me rappeler nos moments merveilleux passés avec Mo sur le lac Cryer. J'avoue que je pense à elle tout le temps.

Surtout qu'ici, c'est triste. Mon père n'a pas pris un seul repas de la semaine. Son teint est terreux et l'expression grave de son visage trahit les soucis qui le rongent.

Le Wunderzircus est fermé. Les animaux robustes comme les chameaux, les lamas et les chèvres passent l'hiver sur place. Les autres, les fauves mis à part, viennent se réfugier dans la grange de la ferme Gunterstein. Les dresseurs ont passé un accord avec mon père. Ils l'aident à s'occuper du bétail contre hébergement.

Ils sont rassemblés dans la grange, serrés autour d'un feu qui brûle en permanence tant le froid est implacable. Tous sont hantés par la peur latente que le cirque ne disparaisse. Il n'y va pas seulement de leur gagne-pain mais de leur vie.

Le vieux Gobel n'est pas encore venu à la ferme. D'habitude, il nous rend une visite de courtoisie, qui est en fait une tournée d'inspection. Il vérifie l'état de santé des animaux. Son passage signifie que le Wunderzircus va reprendre les représentations au printemps.

— Si le vieux Gobel ne vient pas, c'est à cause de la neige, suggère Himmel, le dresseur d'ours.

— Peut-être bien aussi que le courrier n'a pas pu être distribué, avance Heinz, l'« homme le plus fort du monde ».

Le visage creusé de rides profondes, comme submergé par toute la tristesse du monde, le regard fixe, irrité, scrutateur, Appelle, le clown, conclut :

— Pas de nouvelles..., mauvaises nouvelles.

Katrina apporte le repas : soupe de maïs et de patates, avec des biscuits aux raisins et aux noix. Le clown, aidé de ses chimpanzés, Luki, Helyn et bébé Oscar, fait rôtir des châtaignes. Le soleil ne se montre guère et la nuit tombe vite. Mo décide de se coucher. Nous reculons rapidement chaises, sacs de couchage et lits de camp.

Au fur et à mesure que la saison avance, les vaches, les chevaux, les porcs s'approchent des bêtes sauvages pour se tenir chaud. En particulier contre Emma, dont le grand corps dégage une forte chaleur. D'autres s'installent près de Karno l'ours, près de Snake le python, ou près de Mo ou encore des trois chimpanzés du clown. Le feu brasille doucement. Peu à peu, hommes et bêtes glissent dans le sommeil.

La démoralisation de la famille du cirque me déprime. Je n'arrive pas à fermer l'œil. Malgré le froid, je sors pour réfléchir. Cette année, le vieux Gobel ne viendra pas. Il a trop de retard. Si le cirque ferme, que va-t-il advenir de Mo ? Comment mon père va-t-il réagir ? Il ne quitte plus la chambre. Il est à bout de forces. J'ai surpris à plusieurs reprises le regard de ma mère, chargé d'anxiété. Je laisse échapper un souffle de buée en soupirant profondément. Je lève les yeux vers les étoiles. Je me concentre sur de bonnes pensées. Je me dis que la Nature est la réalité suprême et cette croyance me réconforte.

J'aperçois un éclair de lumière. Une voiture brave la nuit et le verglas. Elle approche, mi-roulant, mi-glissant sur la route, avant de s'arrêter en bas, au croisement. Quelqu'un sort précipitamment du véhicule et se met à courir vers la ferme. La personne est si pressée qu'elle trébuche sans arrêt dans la neige. Mon cœur bat. Vient-on nous annoncer que le cirque est vendu ? Je monte sur le remblai de la route. Non, ce n'est pas possible, on dirait...

Son visage émerge du col de sa parka. Je m'exclame : « C'est toi ! » Je presse son nez froid, ses joues chaudes, sa bouche. Nous sommes si heureux que nous dérapons sur l'herbe gelée, et nous roulons dans la neige collés l'un à l'autre jusqu'à un talus.

— J'en pouvais plus de pas t'voir, murmure Gertie.

Le matin, le soleil radieux illumine le ciel. Autour de la grange, la neige a fondu. Le ciel est clair et dégagé. Je sors Mo. Je me hisse sur son dos, j'attrape Gertie, et en avant ! Je fais attention à ce que l'éléphante ne s'aventure pas sur des couches de neige glissantes. Mo trouve un peu d'herbe dans la prairie. Elle l'arrache par touffes qu'elle secoue contre sa patte pour en ôter la glace. Gertie est blottie contre ma poitrine, le visage tourné vers les rayons du soleil. Il n'a jamais fait aussi beau qu'aujourd'hui.

Le cliquètement de pneus à neige nous fait tourner la tête. Une petite camionnette se dirige droit vers la ferme. L'inscription EXPRESS est lisible sur son flanc. Le chauffeur arrête doucement le véhicule sur la route verglacée pour ne pas déraper. Nous arrivons à pas d'éléphant. L'employé des postes passe la tête par la fenêtre.

— J'ai une lettre pour Joseph Gunterstein !

— Je suis son fils. Je vais la prendre.

Stupéfait, le postier voit la trompe de Mo saisir la lettre qu'il tenait à la main. Et, par le même moyen, voit le reçu que je viens de signer lui être retourné.

Je fais un geste d'adieu au chauffeur et pose la lettre entre les omoplates de Mo. Un élancement violent me transperce l'estomac en découvrant le nom de l'expéditeur : Franz Gobel. Gertie me regarde. Ses yeux me disent qu'elle aimerait pouvoir changer le contenu du message... Je glisse l'enveloppe à l'intérieur de ma chemise.

— Allez, Mo ! On rentre !

Mon père est descendu dans la salle à manger. Il s'est installé dans le fauteuil. Ma mère se tient à côté de lui. Gertie, moi et Curpo nous attendons debout, le dos appuyé contre le mur. Maman approche l'abat-jour de la lampe pour que Joseph puisse lire la lettre à haute voix.

Cher monsieur Gunterstein,

Étant donné ma santé médiocre, je n'ai plus l'énergie nécessaire pour diriger un cirque. Le docteur m'a conseillé de m'installer dans une région plus ensoleillée. Je souhaite par conséquent vous informer de ma décision de vendre le cirque.

Merci pour votre loyauté et votre dévouement durant toutes ces années. Vous veillerez, s'il vous plaît, à enlever tous vos effets personnels du cirque d'ici à un mois au plus tard, car tous les animaux, les équipements et les véhicules sont mis en vente dès ce jour.

Bien à vous,
Franz Gobel

Mon père s'enfonce dans le fauteuil. Il se cache le visage dans les mains. Nous sortons. Tout espoir est perdu. La mort vient d'envahir la ferme.

Sur la place des Fêtes de Hasengrossck, le grand chapiteau du Wunderzircus est démonté. Une trentaine de manœuvres emballent le matériel dans des caisses numérotées. Les véhicules sont alignés sur le parking. Les animaux, dont Mo, ont tous réintégré la dernière tente encore debout, celle de la ménagerie.

Le clown Appelle reste prostré dans un coin, ses chimpanzés blottis contre lui.

— Peut-être que celui qui achètera le cirque nous rachètera tous, et nous pourrons rester ensemble, dit-il.

— Comment gagner autrement ma vie ? Qui voudrait de moi ? fait Lilith.

Lilith la Géante pèse plus de trois cents kilos. Cinq personnes sont nécessaires pour la déplacer. Le cirque est non seulement sa famille mais le seul lieu où elle est acceptée, où elle peut tout simplement vivre. Il en va de même pour Curpo, l'« homme le plus petit d'Allemagne ». Il déteste être considéré comme un « phénomène ». Mon père lui a donné la plus grande joie de sa vie, le jour où il l'a engagé pour travailler à la ferme. Il était devenu un homme comme les autres. Je le connais depuis toujours. Pour moi, il est Curpo, il n'est pas un nain bossu. De toute façon, Curpo restera à la ferme pour s'occuper du bétail. Mais qu'adviendra-t-il de Ficelle ? Il mesure près de deux mètres quarante. Il ressemble à un homme-araignée. Il n'a pour ainsi dire pas de peau sur les os, très peu de force. Il chancelle en marchant comme s'il était monté sur des ressorts usés. D'après les médecins, sans la famille du cirque, il serait mort. Shulz, l'« homme-phoque », a les mains attachées aux épaules. Elles ressemblent à des nageoires. Il n'a jamais réussi à accepter son infirmité. Chez nous, il a trouvé un foyer. Marigold, la femme-tronc, mesure soixante-quinze centimètres de la taille au sommet du crâne. C'est une femme intelligente, douée et qui parle plusieurs langues. Elle a un teint de porcelaine et de magnifiques yeux noisette fendus en amande. Son visage est auréolé d'une épaisse et longue chevelure. Elle préfère mourir que d'aller dans un établissement spécialisé pour les « monstres ».

Mon père tousse et grimace de douleur. Je le persuade de retourner à la ferme rejoindre Katrina. Je vais rester à Hasengrossck avec Mo. Il me prend dans ses bras.

Son front est couvert de sueur. Joseph est un homme qui n'extériorise jamais ses soucis. Il les enferme à double tour au fond de lui. Ils ont fini par ronger sa santé. La vente du cirque lui a ôté son ultime protection. Il n'a jamais été aussi vulnérable. C'est la première fois que je l'entends se plaindre qu'il a des factures à payer, la ferme à faire tourner, des vêtements, de la nourriture à acheter, des camions à entretenir. Il paraît las d'avoir à porter ce fardeau. Il lui semble que chaque organe de son corps exige une attention particulière pour accepter de fonctionner. Je le presse contre moi. Je ne l'ai jamais autant aimé.

Il me dit :

— Personne ne peut séparer ce qui est inséparable. Tu as Mo. Tous les deux vous êtes spéciaux. Vous êtes nés au même moment. Tu as avec elle une relation que je n'ai jamais eue avec aucun éléphant. Prends soin d'elle, Bramy. Elle t'adore. Trouve le moyen de rester auprès d'elle.

À bout de forces, mon père remonte dans le camion. Je cours rejoindre Mo dans la ménagerie. L'éléphante grignote du foin. En m'entendant approcher, elle pousse un grognement affectueux et me serre contre elle avec sa trompe. Je lui attrape l'oreille et lui murmure :

— Papa dit que tu es un tiers plus grosse que tous les éléphants de ton âge. Il dit aussi que tu es spéciale et que tu apprends incroyablement vite. Papa m'a enseigné le dressage et me dit la même chose : je suis un élève rapide. Alors, tu vois, ma vieille, on ne peut pas se quitter.

Le lendemain, un cortège de berlines noires arrive sur la pelouse du cirque. Les éventuels acquéreurs du Wunderzircus, des hommes d'affaires allemands, japonais, américains, sortent des véhicules. Des dizaines d'yeux les observent derrière les fenêtres des roulottes. Ces personnages ont notre destin entre leurs mains. Un homme se détache des autres. Les cheveux coiffés en arrière, il a les tempes légèrement argentées. Il porte un costume à fines rayures, une cravate rouge, des chaussures en daim noir et blanc. Épaulé par trois assistants, il parcourt les pelouses à pas rapides, discutant le prix des différents équipements. Les autres acheteurs viennent le saluer avec déférence. Ils échangent leurs avis sur la valeur du cirque.

Je remarque l'absence de Franz Gobel. Est-ce la maladie, la honte ou le remords qui le retient d'être là ? Quoi qu'il en soit, il s'est fait représenter par son secrétaire, Herman. L'homme élégant et son escorte approchent. Ils viennent examiner les éléphants, attachés devant la ménagerie.

— Ce jeune homme est le fils du dresseur d'éléphants, me présente sèchement Herman.

Mes yeux se posent sur ceux de l'homme d'affaires. J'essaie d'établir le contact avec lui.

— Bonjour, monsieur, je suis Bram Gunterstein.

Il me salue d'un bref signe de tête.

— Puisque tu es là, fait Herman, montre à M. North ce que tes bêtes savent faire.

Un instant, j'ai envie de bâcler la représentation dans l'espoir puéril de le dissuader d'acheter des animaux aussi nuls. Seulement, si je peux être mauvais, Emma et Mo sont, elles, incapables de louper un numéro.

Après un bref « merci », l'Américain remonte dans une limousine et disparaît.

Le soir, Herman pénètre dans la ménagerie. Tous les artistes sont réunis. Le secrétaire de Franz Gobel réclame le silence. Il annonce que l'Américain Jack C. North achète le Wunderzircus. Le nouveau propriétaire a affrété un bateau, le *Ghanjee*, pour transporter animaux et matériel à New York.

— Et nous ? fait Lilith.

— Il ne vous a pas achetés ! rétorque Herman.

— Qu'est-ce qu'on va devenir ?

— Je n'ai pas reçu d'ordres à votre sujet. Rentrez chez vous !

Des vociférations éclatent. Herman disparaît, laissant toute une équipe dans le désespoir.

Dès le lendemain, le matériel est emballé dans de grands conteneurs maritimes sur lesquels je lis DESTINATION USA imprimés en grosses lettres rouges. Je regarde l'orgue à vapeur qui part sur un camion. Curpo m'appelle : les nouveaux dresseurs de M. North sont dans la ménagerie ! Ils viennent prendre la maîtrise des animaux.

Je rencontre un homme robuste et brutal, Jake. Il est chargé de s'occuper des éléphants. En raison de mon âge, il me laisse « jouer » avec Mo, qu'il veut appeler Jumbo pour faire plus frime. Comme il me demande mon avis sur le nouveau nom de Mo, je lui réponds que c'est une idée digne d'un Américain. Ma réaction le satisfait. Je pense que pour la suite je vais rester sur cette ligne avec Jake. Je suis déjà heureux qu'il ne m'ait pas chassé de la ménagerie à coups de crochet.

J'ai du mal à croire que Mo va partir pour New York. Cela me semble irréel. Pourtant, tout est vrai. Je sors et ouvre grands les yeux pour me persuader que ce que je vois est la réalité : il n'y a plus de chapiteau sur la place de Hasengrossck ! Il n'y a plus rien ! C'est fini ! Comme si une tornade avait tout emporté !

Je dispose de quoi ? Quelques jours à peine pour trouver une solution ! Que faire ? Que faire ? J'ai la tête comme du yaourt. Je suis perturbé, sonné, dépassé par la situation.

Mon attention est attirée par une voiture qui traverse la pelouse à toute allure. Je reconnais Curpo, assis à côté du chauffeur. Il jaillit du véhicule et court vers moi de toute la force de ses petites jambes. Ses yeux sont embués. Ma gorge se serre. Mon corps se tend. Il me dit dans un hoquet :

— Bram ! Ton père…

D'une tape sur la tête, je fais avancer Mo. Elle porte un ruban noir autour du cou et sur le front une gerbe de fleurs des champs. Au sommet de la colline de Grenchin Hil, maman, Gertie, Curpo, Ficelle, l'homme-phoque, Appelle, la petite Marigold, Lilith nous attendent.

Le rabbin prononce le sermon. Katrina et Gertie disposent des fleurs sur le cercueil. À mon signal, Mo lève la trompe, saisit la gerbe et la dépose à côté des autres. Elle pousse un long barrissement. C'est sa manière de dire au revoir à Joseph, qui repose pour l'éternité dans un petit cimetière perché sur une colline.

Franz Gobel a donné par écrit l'autorisation de sortir Mo de la ménagerie pour l'enterrement de Joseph, sous réserve que je la ramène tout de suite après la cérémonie.

Je guide Mo pour qu'elle se mette bien en ligne à côté d'Emma, de Tina et de Krono. Je ne pleure pas. J'en suis incapable. Mes mâchoires me font mal à force de claquer des dents. Je surprends une conversation entre Jake et un autre dresseur. J'apprends que le cargo en provenance d'Inde est arrivé. Le jour du départ est avancé. Je murmure à Mo : « Je vais trouver une solution ! » J'aperçois Jack North à l'entrée de la ménagerie. Il discute des préparatifs avec ses employés. C'est le moment d'abattre la seule carte de mon jeu. Pourvu qu'elle soit gagnante !

— Monsieur North ! J'aimerais partir avec vous ! Enfin, avec les animaux, aux États-Unis !

— Quel âge as-tu, mon garçon ?

— Quatorze ans. Mais je suis très mûr pour mon âge. Donnez-moi ma chance, s'il vous plaît. J'ai promis à mon père de m'occuper de Mo..., je veux dire Modoc, pardon, Jumbo ! Enfin, la jeune éléphante... Alors, c'est oui ?

Le regard froid de M. North me cloue sur place. Il crache.

— C'est non !

Il se détourne déjà. Je tends la main pour l'arrêter.

— Mais pourquoi ?

— Je ne veux pas de toi. Tu n'es pas des nôtres !

Il s'éloigne. Je reste figé sur place. Je ne comprends pas sa réaction ni son attitude hostile. Une voix forte et rugueuse retentit.

— Tu veux savoir pourquoi il te rejette ? Il est raciste, mon garçon !

L'homme qui vient d'intervenir sort du parking où sont garés les camions. Il est grand et osseux. Il a le regard dur, le menton volontaire. Je lui donne environ vingt-cinq ans, il tient dans les mains ce qui me semble être un plan de route. J'avance vers lui.

— Ça veut dire quoi, raciste, d'abord ?

— C'est quelqu'un qui n'aime pas ceux qui ne lui ressemblent pas. Tu ne ressembles pas à M. North, donc, M. North ne t'aime pas.

— Et vous ? Vous êtes américain comme M. North ?

— Je suis américain, mais je ne suis pas comme M. North. Et je ne veux pas que tu croies que tous les Américains sont comme M. North. Je m'appelle Kelly. Kelly Hanson. Je supervise le chargement et le transport du cirque sur le bateau.

Je lui tends la main.

— Bram Gunterstein, je suis le dresseur de Mo, enfin, de Jumbo.

Kelly Hanson désigne d'un coup de menton la colonne de véhicules de transport garée sur la pelouse.

— Les camions partent cette nuit, lâche-t-il.

Je bondis.

— Je croyais qu'ils partaient à la fin de la semaine !

Il répète :

— Ils partent cette nuit à trois heures du matin.

Je ne peux cacher ma détresse. Kelly m'examine avec un regard bienveillant, attentif.

— Tu es le fils du dresseur d'éléphants qui vient de mourir ?

— Oui.

Kelly hoche la tête.

— Si je peux t'être utile en quoi que ce soit, tu sais où me trouver ? Je suis près des camions.

D'un coup, tout devient clair.

Il est déjà minuit. Je sors de la voiture sans faire de bruit. Les amis ont la gentillesse de bien vouloir m'attendre, malgré le froid. Je me faufile dans la nuit. La maison est construite dans une petite cuvette, ce qui rend la fenêtre du deuxième étage facilement accessible pour toute personne un tant soit peu dégourdie.

Je frappe contre les carreaux. Ils sont couverts de buée à cause de la chaleur qui règne dans les pièces.

Une forme mystérieuse apparaît, démultipliée comme dans un kaléidoscope par les motifs que dessine le givre sur la vitre gelée. La silhouette ondule en approchant. Une main relève la fenêtre coulissante.

Gertie a les yeux bouffis de sommeil. Elle grelotte dans sa chemise de nuit à cause de l'air glacé. Elle est inquiète.

— Bram ! Que fais-tu ici ? Que se passe-t-il ? Il est tard !

J'enjambe le rebord, entre dans la chambre, attire Gertie contre moi pour l'envelopper dans les pans de mon manteau.

— Je t'aime, Gertie ! Je t'aime très fort ! Et… je ne sais pas quand on se reverra !

Les pleins phares de la voiture fendent la nuit à plusieurs reprises. Curpo me signale que l'heure tourne. J'ouvre la portière en évitant de jeter un dernier regard vers la maison de Gertie. Ficelle met le moteur en marche. Il a ôté le siège avant pour pouvoir entrer son corps dans l'habitacle. L'auto démarre.

Il est trois heures du matin. Nous roulons rapidement. Je viens de faire l'amour pour la première fois de ma vie, et je m'en vais loin de celle que j'aime ! Je sais pourquoi je fais ce que je suis en train de faire — enfin, je crois —, mais je ne sais pas du tout où cela va me mener, et si j'ai une chance sérieuse que cela me conduise quelque part ! Tout s'est décidé tellement vite !

Nous arrivons au village juste avant le départ des camions. J'ai la gorge serrée. J'indique à Ficelle un endroit où se garer discrètement derrière des baraquements.

Des projecteurs déversent une lumière violente sur l'activité fébrile des débardeurs. Ils poussent de lourdes caisses sur les plates-formes des camions. Les phares, les cris, les grondements des moteurs créent une atmosphère électrique qui m'exalte. Je reprends courage et m'écrie :

— Les amis ! Vous vous rendez compte ? Je ne suis jamais allé plus loin que Francfort, alors, l'Amérique !

J'embrasse Curpo. J'embrasse Ficelle.

— Vous êtes les meilleurs amis du monde ! Prenez soin de maman et de Gertie.

Curpo sort une petite bourse de sa poche.

— Nous voulons que tu la gardes en souvenir de nous.

Les copains ont formé une association pour essayer de monter leur propre cirque, m'annonce-t-il. Un groupe de bienfaiteurs a fait un don. Cette nouvelle me fait chaud au cœur.

Le chef du convoi, Kelly Hanson, crie un ordre dans un porte-voix. Le camion de tête s'ébranle. Les autres suivent. Les hommes se hissent rapidement sur les marchepieds et dans les cabines.

C'est le moment. Je me plie en deux et me glisse dans l'ombre. Je guette le passage du camion qui renferme le bric-à-brac du cirque. Kelly Hanson a noué un drapeau américain sur son antenne pour me le signaler.

Il apparaît en queue de convoi. Je fonce. Lance mon balluchon dans la remorque, bondis sur le marchepied, escalade le garde-corps et retombe sur des sacs. Je rampe vers l'arrière, où je me blottis derrière des caisses.

À travers une fissure dans les traverses de bois, je vois les phares de la voiture de Ficelle et de Curpo qui clignotent en signe d'adieu.

Les camions sortent du village. Un nœud énorme se forme dans mon estomac. Je pense aux paroles de mon père : « N'aie jamais peur de rien quand tu fais ce que tu dois. » J'imagine Mo, enfermée dans une remorque, plus loin et cela renforce ma résolution. Je songe à maman. Tout à l'heure, elle découvrira la lettre que j'ai laissée sur la table de la cuisine.

Ma chère petite mère,

S'il te plaît, ne t'inquiète pas à mon sujet. Je suis parti avec Mo. Papa avait raison : il faut que nous restions ensemble et je veux accomplir sa dernière volonté en prenant soin d'elle. Je sais que tu te débrouilleras très bien. Tu auras Curpo pour veiller sur toi et les autres copains du cirque qui sont toujours prêts à donner un coup de main. Quand je serai installé à New York, je t'appellerai. Merci, maman, d'être la meilleure mère qu'un fils puisse avoir. Tu me manqueras.

Ton fils qui t'aime,
Bram

Le grand départ

Le ciel devient plus brillant, les étoiles se font plus nombreuses, il flotte une odeur nouvelle. J'ai sur la langue le goût de l'air salé. Je sens l'excitation me gagner : l'océan ! Je regarde à travers les lattes de bois de la remorque en espérant distinguer les premiers bâtiments du port.

Le convoi pénètre sur le quai d'embarquement. Des fanaux illuminent la zone d'activité comme en plein jour. Au-dessus de ma tête, j'entends le vrombissement d'une grue gigantesque. Je suis à la fois émerveillé et rempli de frayeur. Depuis trois jours, je ne dors que d'un œil, surveillant l'allure du convoi.

Les dockers et les employés du cirque commencent le transbordement. Je saute du camion et cours me cacher derrière une pile de caisses en bois. Elles portent l'inscription : CARGAISON/CIRQUE/NEW YORK.

Un épais brouillard envahit le quai, ce qui m'arrange, évidemment. J'écoute les cris des dockers, le raclement des chaînes qu'on fixe autour des caisses. Deux hommes en uniforme arpentent la zone. Je suis à dix mètres tout au plus du bord du quai. Je décide de rester dissimulé le plus longtemps possible. Le moindre faux mouvement, le moindre bruit incongru peut me perdre.

Le hurlement d'une sirène retentit. Une immense forme noirâtre émerge du brouillard. Peu à peu, elle entre dans le faisceau des projecteurs. J'écarquille les yeux pour admirer le *Ghanjee*, un gros cargo à deux cheminées.

Six rangées de lumières s'étagent sur son flanc de la poupe à la proue. Sur les ponts, les marins jettent des cordages aux hommes sur le quai qui les enroulent autour de grandes bittes d'amarrage en bois. Je me renfonce dans ma cachette. Mes yeux brillent comme ceux d'un chat fasciné et terrorisé.

Le soleil est levé depuis longtemps. Le transbordement s'achève. Je suis anxieux, une nouvelle fois désemparé : comment vais-je m'y prendre pour grimper à bord du cargo ? Bientôt, les dockers auront emporté les caisses derrière lesquelles je me protège.

Un barrissement monte du ciel. Je lève les yeux, mon cœur bondit dans ma poitrine : l'énorme corps de Mo se balance en l'air, tracté par la grue.

Une lourde chaîne, divisée en quatre parties, est fixée sur une sangle épaisse qui entoure une palette sur laquelle les quatre pattes de l'éléphante sont attachées tandis qu'une autre sangle est retenue par une corde enroulée autour de son ventre. En plus de ces harnachements, je distingue un filin tendu pour empêcher la plate-forme de tourner.

Mo semble apprécier la balade. Pour mieux la regarder, je m'avance sur le quai. Aussitôt, une main me broie l'épaule. Je me retourne en tremblant et découvre Kelly Hanson.

— Si mon intention était de monter sur le bateau, fait-il, je profiterais de ce que tout le monde a les yeux levés sur les éléphants pour le faire.

Je jette des regards autour de moi ; certes, mais comment ?

— Saute dans cette caisse, dit Kelly.

Il montre un grand conteneur en bois. J'hésite.

— Saute dedans ! Ils vont charger d'autres trucs dans la caisse, du petit matériel uniquement. Ne t'inquiète pas quand ils cloueront le couvercle. Je te ferai sortir plus tard, une fois sur le bateau.

Je suis perplexe. Je ne connais pas Kelly Hanson. Dois-je lui faire confiance ?

— Pourquoi m'aidez-vous ?

— Je te l'ai dit : je ne suis pas comme M. North. Vas-y ! C'est maintenant ou jamais !

Je n'hésite plus, j'enjambe un des côtés du conteneur et saute à l'intérieur. Par chance, ma chute est amortie par un tas de boîtes en carton et de sacs de toile. Je me construis une sorte de grotte où je me tiens tapi.

Je n'attends pas longtemps avant de voir atterrir autour de moi des morceaux de baraque, roues de wagon, matériel de dressage, harnais, outils. Heureusement, les épais morceaux de carton placés sur ma tête me protègent, déviant presque tout. Et je survis au bombardement. J'entends les débardeurs poser le couvercle sur la caisse en bois. Soudain, c'est le noir total. Ils donnent des coups de marteau. Ils clouent la caisse. Je suis prisonnier ! Heureusement que Kelly m'a prévenu, sinon, j'aurais hurlé de panique. Une embardée brutale me fait basculer. Les dockers attachent les chaînes, qui raclent le sol. Maintenant, la caisse glisse sur le quai. Elle s'élève et se met à osciller. Je suis suspendu en l'air. À travers un interstice, j'aperçois le pont tout entier. Les gens ressemblent à des fourmis. De longs panaches de fumée s'élèvent en tourbillonnant des cheminées du navire. La caisse s'immobilise dans le ciel. Ma respiration s'accélère : le conteneur descend, descend..., je plonge dans un grand trou obscur, j'entre dans le ventre du cargo. Un heurt. Puis le bruit des chaînes qu'on détache. On y est ? Quelque chose de lourd s'abat sur le couvercle. Ils empilent une autre caisse sur la mienne ! Ce n'était pas prévu ! Kelly va-t-il me retrouver ? Et s'il a un accident au moment d'embarquer ? Personne ne sait que je suis là ! Je vais mourir étouffé !

Un bruit sourd me réveille. Je me suis endormi d'épuisement. Je mets du temps pour comprendre où je suis. On déplace quelque chose au-dessus de moi.

— Bram ! Bram ! Tu m'entends ?

Le front en sueur, je réponds à l'appel. Les clous qui ferment le couvercle sont arrachés avec un pied-de-biche. La planche se soulève. Je grimpe sur les roues et les morceaux de bois vers l'ouverture. Je sors en hâte de ma prison.

— J'ai eu peur que tu m'aies oublié, Kelly ! Ou que tu aies manqué le départ, ou qu'il te soit arrivé quelque chose. Ce que je suis content de te voir !

Je l'aurais embrassé ! Lui, plus sobre, me tend du pain que je dévore tout de suite.

— Viens ! Je t'emmène près des éléphants.

Je suis Kelly dans les ténèbres de la cale. Il me conduit dans un couloir. Bientôt, l'odeur des bêtes et du fumier monte à mes narines.

— Je t'ai mis de la nourriture sous une vieille couverture qui se trouve à côté de l'étable. Je dois y aller. Tâche de ne pas te faire repérer. Je ferai un saut de temps en temps pour voir comment tu vas.

— Merci, Kelly. Je te suis vraiment reconnaissant.

J'aperçois les éléphants parqués dans un espace de vingt-cinq mètres de large sur cinquante de long. Ils sont enchaînés à un gros piton soudé à la charpente du navire.

Un objet insolite attire mon regard, un canon de l'armée. Attaché par plusieurs câbles d'acier, sa silhouette dans la pénombre est aussi grosse que celle d'un éléphant.

Kelly parti, je laisse exploser ma joie. Je crie, comme dans la grange de la ferme :

— Mo !

Un barrissement tonitruant me répond.

Je cours vers elle et lui embrasse fougueusement la trompe. Mo est si excitée qu'elle me soulève et me balance en tous sens. Je retrouve aussi Emma, Tina et Krono. Je leur parle tout en les examinant. J'ai peur de trouver des écorchures provoquées par le crochet. J'en distingue plusieurs, surtout sur Mo : quatre à la base de la trompe, quelques-unes sur les genoux avant et trois sur la tête. Je suis furieux et malheureux. Je méprise les dresseurs qui utilisent le crochet comme une arme, aiguillonnant et tançant les éléphants en les blessant inutilement quand il suffit de montrer juste un peu de patience.

Des voix d'hommes résonnent dans la soute. Je ramasse mon balluchon et disparais sous la paille au moment précis où deux gardiens font leur apparition.

— Je te dis que je les ai entendus beugler ! dit l'un.

Je reconnais la voix de Jake, le dresseur. Il est accompagné d'un Indien muni d'un crochet. Je me rencogne en retenant ma respiration.

— Ils n'ont pas l'air nerveux, fait l'Indien.

— J'ai entendu Jumbo barrir, répète Jake.

Les pieds de l'Indien se tiennent à quelques centimètres de ma cachette. Je ferme les yeux et prie.

— Ils sont calmes, assure l'Indien.

— Tant mieux, rétorque Jake. Je n'ai aucune envie de livrer à M. North de la marchandise abîmée.

Ils s'éloignent. Je peux me remettre à respirer.

J'organise ma nouvelle vie. J'ai trouvé une poubelle sous l'armoire métallique où les dresseurs rangent leur matériel. L'abattant est cassé et recouvert de poussière. Je peux donc y ranger mes affaires sans risque qu'elles soient repérées. Pour manger, je me satisfais de la nourriture des éléphants. Matin et soir, l'Indien leur apporte un repas composé de luzerne et d'avoine, de trois kilos de maïs, d'une portion de bananes, de pommes, d'oranges, de pain et de tous les restes de cuisine. Pour boire, il y a un tuyau à proximité.

Mon grand sujet de terreur est la poubelle que poussent les gardiens quand ils viennent nettoyer l'étable. Au fur et à mesure qu'ils avancent en fourrant les pelletées de fumier qu'ils ramassent, je rase les murs à l'autre extrémité de la cale, essayant de me déplacer dans le même sens qu'eux.

Peu à peu, je perds la notion du temps. Je ne suis pas anxieux. L'obscurité et le roulis modéré du navire ont un effet apaisant. Je découvre des aspects de la vie des éléphants que je n'avais pas encore remarqués. Comme le craquement de leurs molaires qui broient la nourriture, les borborygmes de leurs estomacs, le bruit de la queue qui cingle la croupe, celui, plus râpeux, de leurs pattes quand ils les frottent l'une contre l'autre, mais aussi les grondements et les couinements qu'ils émettent pour communiquer entre eux. À force de partager leur intimité et leurs repas, je finis par me demander si je ne suis pas devenu moi-même un éléphant. J'ai peut-être été éléphant dans une vie antérieure ? Mo me traite comme son fils. Elle ne cesse de m'étreindre avec sa trompe et de m'embrasser. Parfois, quand je suis allongé pour dormir, je l'entends gronder doucement au-dessus de moi en se balançant d'une patte sur l'autre.

Comme promis, Kelly revient avec de la nourriture et des vêtements. Il reste un moment pour discuter. Il m'apprend que notre cargo, le *Ghanjee*, passera par l'Inde. Il appartient à l'administration britannique. Il a été affrété pour transporter le cirque jusqu'à la côte est des États-Unis.

— Ce n'est pas le chemin le plus court, ajoute Kelly. C'est le seul que M. North ait trouvé pour nous amener à bon port avant la saison des tempêtes.

La lumière du jour me brûle les yeux. Autour de moi, des voix peu affables s'élèvent.

— Qui c'est, ce gosse ?

— Ils l'ont déniché où, celui-là ?

— Il pue !

— Un bain ne lui ferait pas de mal.

Un matelot m'a découvert dans la soute. Je ne l'ai pas entendu venir. Sa forte poigne s'est abattue sur ma nuque. Je me suis senti comme paralysé, puis soulevé comme une plume.

Jeté sans ménagement sur le pont, ébloui par le soleil, je chancelle, j'ai mal au cœur. Mes pieds touchent un sol fait de planches. Toujours serré par le cou, je suis poussé dans des coursives étroites. Je dois escalader des marches.

La poigne me propulse au centre d'une cabine. Je me frotte les yeux en essayant de regarder autour de moi. Il semble que je me trouve dans la timonerie. Les cloisons, le plafond, le plancher sont en chêne massif. Leur patine brillante rivalise avec celle des garnitures en cuivre des tours de hublot. Je fixe des yeux l'objet le plus impressionnant : le grand gouvernail.

Une voix redoutable retentit dans mon dos.

— Qui es-tu ?

Un homme surgit, vêtu d'un uniforme impeccable dont la veste est ornée d'épaulettes rayées. Sa peau foncée fait ressortir la blancheur de son turban. Il a d'épais sourcils et des yeux marron très intenses.

— Je suis Bram Gunterstein.

Il me dévisage.

— Que fais-tu sur mon bateau, Bram Gunterstein ?
— Vous êtes le capitaine ?
— Je suis le capitaine Patel. Je t'ai posé une question.
Je m'écrie, le cœur battant :
— Vous avez mon éléphant !
Le capitaine Patel sursaute.
— Comment ça, j'ai ton éléphant ?
— Celui du cirque.
Le capitaine s'éloigne de quelques pas puis s'arrête en me regardant par-dessus son épaule.
— Tous les éléphants du cirque appartiennent à M. North, réplique-t-il.
— C'est-à-dire… Mon père est mort et il m'a demandé de prendre soin de Mo, c'est mon éléphant. Je suis dresseur. Chez les gens du cirque, nous ne devons pas être séparés de nos animaux. Vous comprenez ?
Le capitaine Patel monte une paire de jumelles à hauteur des yeux et scrute l'océan. Je pense qu'il doit méditer le bien-fondé de ce que je viens de lui apprendre. J'espère qu'il saura faire preuve de compassion. Je l'entends me répondre :
— Écoute-moi bien. Pour moi, tu es un passager clandestin et j'ai le droit de te jeter par-dessus bord !
— Mais, monsieur mon capitaine…
— Tu seras remis aux autorités locales au premier port que nous atteindrons. Jusque-là, tu travailleras aux cuisines pour payer ton voyage.
— Je vous suis très reconnaissant, mon capitaine, de ne pas me jeter par-dessus bord, mais mon éléphant…
Il retire ses jumelles et m'aboie au visage :
— Silence !
L'étreinte du marin se referme sur ma nuque. Je suis sorti vigoureusement hors de la vue du capitaine Patel. Le marin, que je surnomme la Poigne, me pousse dans les coursives et m'oblige à exécuter un terrible plongeon en me jetant contre une porte à double battant. J'atterris sur le sol de la cuisine.

Un homme avec une toque sur la tête et un tablier sale autour des reins m'agrippe par le col de la chemise et me souffle sa mauvaise haleine au visage.

— Tu veux voir du pays mon garçon ? Tu tombes bien. J'ai du travail.

Je nettoie, rince, sèche les couverts de tout l'équipage, cela douze heures durant. Les détergents et les savons sont si corrosifs qu'à la fin mes mains, crevassées, saignent. Le soir, je m'effondre sur la couchette complètement épuisé et m'endors aussitôt. À cinq heures du matin, je suis jeté à bas. L'esclavage recommence. Dès que j'échappe à la vigilance du chef, je file sur le pont respirer l'air frais.

J'observe avidement la mer. Des vents tièdes soufflent de la côte de l'Inde. J'oublie tout. La mer est d'huile à l'infini. J'aperçois les corps luisants et arqués des dauphins qui escortent le *Ghanjee*. Les jours où les vagues déferlent sur la proue, aspergeant le pont, je suis émerveillé que le cargo les fende avec autant d'aisance. Mais, très vite, j'entends le chef aboyer :

— T'as plus de travail, mon pauvre garçon ? Fallait me le dire ! J'en ai d'autre en réserve !

Je nettoie, je rince, je sèche sans lever la tête. L'immuable routine navale devient mon mode de vie. Il m'apparaît maintenant inévitable qu'endormi, je saute de la couchette à cinq heures du matin pour répondre à l'appel du sifflet. Inévitable que je commence à briquer les ponts aux premières lueurs de l'aube. Le sifflet pour aller manger. Le sifflet pour aller dormir. Tout cela et le mouvement perpétuel du pont sous mes pieds, la vue réduite à la mer et au ciel infinis m'isolent si bien de la terre que je peux me croire dans un autre monde. La mort de mon père, le chagrin de ma mère, les larmes de Gertie se diluent. Et je finis par prendre l'aspect du marin. D'ailleurs, à ce rythme, je pense que même le plus balourd des hommes commencerait à ressembler à un matelot.

Je brique, je lave, je rince, je me vide la tête de toute pensée. Soudain, j'entends un formidable hurlement. Les marins cessent leurs activités. C'est la sirène. Elle annonce que le capitaine va s'adresser à l'équipage.

Sa voix autoritaire jaillit des haut-parleurs. Il nous explique que le *Ghanjee* a appareillé depuis trois semaines. Nous sommes en avance de deux jours sur le calendrier prévu. Il ajoute que les bulletins météo annoncent une mer calme et une brise légère.

Autour de moi, en cuisine, les marins se concertent en souriant. Tout va bien. C'est bon. Le capitaine annonce que demain matin, à huit heures, il inspectera le bateau avant l'accostage dans les ports d'Asie. Tous les visages des matelots se figent.

Plus question de dormir. Double tâche pour tout le monde. Au matin, les cuisiniers ont revêtu la grande tenue de marin. Le chef me tend un paquetage : « Mets ça ! » Je découvre un uniforme d'aspirant. Je le passe, ému. J'ai l'impression d'appartenir à l'équipage.

Le sifflet du maître retentit. Les matelots s'alignent de l'entrée jusqu'au fond de la cuisine. Le capitaine Patel apparaît sur le seuil. « Garde-à-vous ! » Il traverse la salle, tout brille comme les cuivres de la timonerie. Il remonte la file. Parvenu à mon niveau, il s'arrête brusquement, comme si mon insupportable présence venait de lui revenir en tête et altérait sa bonne humeur.

— Bram Gunterstein, articule le capitaine Patel. J'ai entendu dire que tu fais du bon travail.

Je respire un grand coup et me risque à demander :

— Est-ce que je pourrais aller voir mon éléphant, mon capitaine ?

Le capitaine hausse les épaules : quelle question incongrue ! Puis il jette avec énergie :

— Deux minutes, pas plus.

Il salue les cuisiniers et sort de la pièce. J'ai, d'un coup, le cœur léger. J'enfile coursives et escaliers jusqu'au fond du bateau. J'ai oublié que la cale était plongée dans le noir. Comment me repérer ? Je me retrouve à l'intersection de trois couloirs qui ressemblent à des tunnels, je ne sais lequel emprunter. Je place les mains en porte-voix sur ma bouche et crie : « Mo ! » Mon appel se répercute le long des plafonds et des parois recourbées. Je crie encore plus fort : « MOOOOO ! »

Assez semblable au grondement d'un brontosaure tiré d'un sommeil d'un million d'années, un formidable barrissement explose. La réponse jaillit du couloir central, si puissante, si sonore que je m'attends à voir Mo débouler devant moi.

Je cours dans le noir du tunnel. Je retrouve la grande salle où sont parqués les pachydermes. « Mo ! Mosie ! » Je me pends de joie à sa trompe, elle me balance aussi haut qu'elle peut en barrissant sans arrêt. Emma, Tina et Krono me caressent et m'étreignent eux aussi avec leurs trompes. Mo pousse de petits couinements affectueux en me palpant. De mon côté, j'inspecte sa tête, sa gueule, ses pattes dans la crainte de découvrir des écorchures et des hématomes. Tout va bien. Ce soir, je déserte les sifflets et ma couchette.

Le temps est à l'orage. Des rafales de vent balaient le pont du cargo avec une intensité croissante. L'averse tombe. Les vagues se creusent. Le *Ghanjee* progresse difficilement. Il n'y a plus d'instants de répit. La tempête fouette l'océan. Les vagues, maintenant géantes, s'écrasent de la proue à la poupe. Des paquets éclatent contre les hublots comme des gifles. Le soleil, le vent tiède, les mouettes, les dauphins ont disparu de ma vue, remplacés par les hurlements de la mer gris foncé qui semble vouloir se déchaîner sur nous. La sirène hurle. La voix du capitaine s'élève dans les haut-parleurs : « Comme vous pouvez le constater, nous sommes aux prises avec une tempête sérieuse. Tout le personnel, sauf les hommes qui ont reçu des instructions contraires, doit quitter les ponts et se mettre à l'abri. Nous nous trouvons à quatorze milles nautiques de la côte indienne. J'ai signalé par radio notre position aux autorités de Calcutta. Terminé. »

La « tempête sérieuse » rugit toute la nuit, précipitant le cargo dans des ravins profonds, le propulsant comme une plume sur de hautes montagnes blanchies par l'écume pour l'envoyer à nouveau s'écraser au fond de l'abîme. Nombreux sont les marins qui tombent malades et restent cloués sur les couchettes.

Kelly Hanson apparaît en cuisine.

— Bram, tu tiens le coup ?

Le bateau gîte à tribord. Je m'accroche aux rampes pour rejoindre Kelly.

— Tu crois qu'il peut nous arriver malheur ?

Kelly sourit.

— Non, ça va se calmer.

Il veut me rassurer. Mais les traits de son visage sont altérés par l'inquiétude. Kelly Hanson ne sait pas mentir. Je n'y connais rien à la navigation, mais il me semble que c'est bien plus fort qu'une simple tempête. Le bateau tangue et roule comme une balle de caoutchouc rebondissant sur la crête des vagues. Je pense à Mo. Elle doit m'attendre. M'agrippant comme je peux, je descends dans la soute.

Les éléphants ont peur. Le violent mouvement de balancier auquel ils sont soumis rend leur équilibre précaire. Ils poussent de longs barrissements. Ils ont les oreilles rabattues en avant, les yeux écarquillés, le corps tétanisé et grelottant.

Je suis près de Mo, d'Emma, de Tina et de Krono. Je leur parle pour les rassurer ; surtout je leur caresse la tête, la trompe en pensant aux recommandations de mon père : « Toucher ses éléphants est l'un des gestes les plus importants du dresseur. Souviens-toi que c'est la meilleure forme de communication, plus efficace qu'aucun autre langage connu. »

Le bateau oscille de plus en plus violemment, au point que les bourrasques sifflantes et mugissantes nous parviennent jusqu'au fond de la cale. Ce que je redoutais se produit : Emma perd l'équilibre et s'affale lourdement par terre. Je fais un bond pour éviter ses trois tonnes. Je dérape à travers la soute et m'écrase contre une poutrelle d'acier. Emma beugle de panique. Dans sa chute, elle a arraché la chaîne qui retenait sa patte arrière.

De l'eau commence à couvrir le sol. Un bruit plus sourd que tous les autres me terrorise. Une des chaînes qui fixent le canon vient de céder. La gigantesque pièce de métal bouge. Si elle se détache, elle va rouler sur les éléphants et les abattre comme une boule lancée dans un jeu de quilles !

Affolé, je m'étale dans les flaques d'eau. En me relevant, j'aperçois un panneau qui porte l'inscription URGENCE.

J'appuie de toutes mes forces sur le bouton. Peu après, six hommes accourent, parmi lesquels je reconnais Kelly.

L'eau parvient maintenant aux genoux des éléphants. Kelly met en route une pompe aspirante. Je crie : « Le canon ! »

Les hommes luttent pour garder leur équilibre en essayant d'attacher des cordes autour du monstre de fer. Mais ils tombent sous l'effet du tangage. Des caisses se soulèvent avec la montée de l'eau et menacent de nous assommer.

Mo, Tina et Krono résistent en s'arc-boutant l'un contre l'autre pour ne pas tomber. Emma beugle. Les poutres de chêne de la charpente craquent. Soudain, le bateau tangue plus durement encore. Poussé, le canon fait sauter ses liens et roule librement entraînant tous les hommes avec lui. Le cargo penche dans l'autre sens, le canon stoppe à deux mètres à peine des éléphants et repart en arrière cogner contre la cloison.

— Libère les éléphants ! On ne peut pas tenir le canon ! me crie Kelly.

J'ouvre le maillon tournant qui verrouille leurs chaînes. Tina pousse des barrissements de peur. Krono aussi. Mo est immergée dans soixante-dix centimètres d'eau. Je dois plonger pour dévisser son maillon.

Le bateau bascule. Je suis projeté contre ses pattes. Quand je me redresse, ruisselant, je vois le canon fondre sur nous.

— En avant, Mo ! En avant !

Mo contracte tous les muscles de son corps, brise ses entraves et fait un pas de côté. Le canon la frôle en produisant un affreux crissement métallique, avant de percuter la tôle d'acier de la coque, qu'il enfonce profondément.

Krono et Tina s'abritent aussi loin qu'elles peuvent. Mo, tremblante, grondante, reste près de moi. Emma nage et lutte au milieu des caisses.

— Il faut arrêter ce monstre avant qu'il perce un trou dans la coque ! hurle Kelly.

Les matelots tentent d'enfoncer une barre d'acier pour bloquer les roues. Résultat : le canon pivote sur lui-même, change de direction et se dirige vers Krono et Tina.

Les bêtes sont subjuguées par la masse de fer qui traverse la longueur de la cale, détruisant tout le matériel sur son passage. J'entends un cri affreux. Un matelot, happé par le monstre d'acier, est traîné jusqu'à la coque, écrasé par l'engin qui rebondit sur lui. Peu après, je vois le corps du malheureux flotter à la surface, déchiqueté par le poids de l'impitoyable machine.

D'un coup, l'océan se calme. Je cherche Kelly parmi les débris qui flottent. Son corps émerge de l'eau.

— La tempête est finie, Kelly ?

— Nous sommes dans l'œil. C'est un ouragan.

Je m'approche de lui.

— Tu veux dire que ça va repartir ?

Il me prend le bras.

— Je veux dire que le bateau ne supportera pas un deuxième déchaînement. Viens ! Nous devons penser à sauver notre peau.

Je me contracte.

— Et les animaux ?

— Nous avons fait tout ce qui est humainement possible pour les sauver. Maintenant, nous devons penser à nous.

Je me détache de Kelly en hurlant :

— Je ne les abandonnerai jamais !

Kelly essaie de me ramener vers lui.

— Monte avec moi ! Tu dois vivre ! C'est ton devoir de vivre, bon sang !

Je regarde vers Mo.

— D'accord. Je vais leur parler et je monte tout de suite après.

Kelly s'éloigne dans l'eau et s'évanouit dans l'obscurité.

Le silence dans la cale est ponctué par le bruit du ressac et la respiration des éléphants. Silencieux, blottis les uns contre les autres, ils sont parcourus de frissons collectifs comme s'ils ne formaient plus qu'un seul être.

Je me presse contre Mo. Emma s'est relevée. Tina, Krono nous rejoignent. Les éléphants forment un cercle, tête contre tête, trompes entrecroisées. On dirait qu'ils se disent adieu.

Des vaguelettes commencent à déferler sur leurs pattes. Le contenu de la cale, les caisses, les détritus s'agitent.

Le niveau de l'eau remonte soudainement. Je vois le cadavre du matelot reprendre sa danse macabre sur le fil de l'eau. Le canon se met à vibrer. J'éloigne le plus possible les éléphants de sa trajectoire.

Le tonnerre gronde, suivi d'une assourdissante cacophonie. Soudain, le bateau plonge en avant. Le canon dévale la soute à toute vitesse, éventre la coque et disparaît.

L'eau déferle en trombe par le trou, dans un vacarme formidable, cognant, entraînant tout sur son passage. Je m'agrippe à une patte de Mo. En vain. Emporté comme un fétu de paille, mon corps se met à tournoyer, propulsé par une force gigantesque. Je heurte des caisses, je rebondis contre les parois. Mes poumons deviennent brûlants à force de retenir ma respiration. Je ne vois plus rien. Je ne sens plus rien. Je suis happé par le gouffre.

Je jaillis à la surface comme une bouée qui remonte après avoir été tenue enfoncée. Je tousse, crache, râle. Mon nez et ma bouche dégoulinent. Le goût âcre du sel me donne des haut-le-cœur. Je suis en pleine mer, emporté sur des vagues de vingt mètres.

Des éclairs se découpent dans un ciel noir. Une pluie battante crépite à la surface de l'eau. Je rencontre un objet. C'est un débris de chêne lisse, mêlé à des tronçons de mâts.

Je m'accroche au gros morceau de bois. Il porte encore ses garnitures de cuivre. La pluie martèle mon visage. Une vague très forte me soulève. Elle va m'emporter. J'appelle Mo au secours.

Une main me saisit par la nuque. Je n'en connais qu'une pour me serrer comme ça. Celle de la Poigne. Un éclair bas illumine le ciel quelques instants. Sa lueur vibrante me permet de distinguer autour de moi les visages de cinq hommes, accrochés à des épaves. Ils se soutiennent pour ne pas couler.

— La Poigne, c'est bien toi.

Je l'entends me répondre :

— Tu as choisi le bon bateau pour ton baptême de mer, mon garçon !

Heureusement, dans le golfe du Bengale, l'eau n'est pas glacée. J'apprends qu'il a été impossible de mettre les canots de sauvetage du *Ghanjee* à la mer car ils rebondissaient trop violemment sur la coque du cargo.

Nous sommes maintenant trente-cinq rescapés. Parfois, l'un d'entre nous s'enfonce silencieusement sous l'eau. Personne ne le revoit. Personne n'en reparle. Les heures passent. Mes muscles me font mal. Je ne peux plus me raidir pour résister au déferlement des vagues. Je me laisse ballotter. Mes pensées vagabondent. Je songe à ma mère, à la ferme, à Gertie, à nos balades près du lac Cryer. Je me laisse glisser dans le sommeil, engourdi par le souvenir des temps heureux…

— Réveille-toi, garçon ! fait la Poigne. Écoute ! T'entends rien ?

Tous les hommes ont sur la figure la même expression attentive. Nous croyons percevoir au milieu des vagues et du vent un appel insolite. Mon Dieu ! C'est un barrissement. Fou d'espoir, je crie : « MOOOO ! »

J'aperçois une masse grise entraînée par le courant. C'est bien elle, c'est bien Mo ! Oubliant ma fatigue, je nage de toutes mes forces. Mo fend l'eau de son corps comme un cheval, déployant toute son énergie. Une vague me soulève, je tends la main et j'agrippe sa trompe. Mo m'attire vers elle en poussant un cri maternel qu'aucun être humain n'a jamais entendu.

Je grimpe sur son dos. Je n'ai plus d'effort à faire pour me maintenir à la surface. Je lui dis : « Mo, il était temps que tu viennes, j'en pouvais plus ! »

Les hommes nous rejoignent. La Poigne me lance une corde. Je la fixe autour du cou de Mo. Les rescapés s'attachent à la corde. Les plus faibles sont hissés sur le dos de l'éléphante, qui devient comme une île.

Au lever du jour, les vagues, encore hautes, ont perdu de leur force. Les creux sont moins profonds et leurs crêtes sans écume. Seulement, à cause du brouillard, si épais que j'ai l'impression qu'un nuage s'est posé sur l'eau, on ne voit pas au-delà de cinq mètres.

Mo palpe ma figure pour s'assurer que je suis bien en vie. Elle flotte naturellement sans trop se fatiguer. Elle peut tenir longtemps à condition que sa trompe ne s'imbibe pas d'eau et qu'elle garde suffisamment de force pour la soutenir. Tour à tour, les hommes montent se reposer sur le dos de l'éléphante tandis que les autres nagent devant elle en posant sa trompe sur leurs épaules pour qu'elle puisse se détendre. Au début, Mo s'est amusée à tortiller sa trompe et à leur chatouiller le visage, par jeu.

Une pluie fine se met à tomber. Les hommes, frigorifiés, préfèrent passer la nuit dans l'eau. Au matin, le brouillard est si dense que nous avons l'impression d'être enfermés dans une sorte de cavité avec des murs de brume. Des explosions de larmes et de cris éclatent sans cesse. La souffrance est telle que certains choisissent de mourir. Ils lâchent la corde et se laissent dériver sur l'océan.

Le troisième jour, le corps de Mo tremble à cause du ressac de l'eau contre ses flancs. Elle perd sa chaleur en raison de la mauvaise circulation du sang due à l'immersion, et ses muscles s'affaiblissent. Les hommes ne peuvent plus soutenir sa trompe. Parfois, dans son sommeil, l'orifice glisse dans l'eau. Mo se réveille en éternuant, en crachant, suffoquée par l'eau salée. Pour la réconforter, je vais me placer sous son menton, en appui sur ses pattes et contre sa poitrine. Elle peut me toucher avec sa trompe autant qu'elle veut. Je sais qu'elle reste en vie pour me protéger.

Le soir, nous ne sommes plus que vingt-six naufragés. L'océan est calme, l'eau presque tiède. J'ai noué une corde en bandoulière autour du cou de Mo pour l'aider à soutenir sa trompe. Je m'endors, calé sous son menton.

J'entends les survivants hurler. Certains grimpent sur le dos de Mo pour essayer de distinguer une forme dans la nuit. Ils croient percevoir un bruit mécanique. Leur poids risque d'enfoncer le corps de l'éléphante dans l'eau.

Je suis obligé de les repousser à la mer, aidé par la Poigne. Les hommes ne se contrôlent plus. Au fond de leur agonie, ce bruit de moteur imaginaire les jette dans un état d'hystérie. Soudain, je crie, moi aussi :

— Regardez, des lumières !

Les phares de projecteurs balaient la surface de la mer, dessinant un entrelacs de motifs éblouissants et colorés. À travers les tourbillons de brume, nous apercevons bientôt la proue d'un petit remorqueur qui fend la houle. Nous sommes sauvés !

Le bateau est surmonté d'un mât dont la voile est soigneusement repliée de haut en bas. Une petite cabine de pilotage est située au milieu du bateau. Sur l'avant, je lis l'inscription, *Sahib*. Deux Indiens, coiffés d'un turban rouge pour l'un, blanc pour l'autre, sont à bord. Ils nous ont vus. Ils coupent le moteur et laissent le remorqueur dériver vers nous.

La Poigne agrippe le plat-bord. Il a beaucoup de mal car le vent s'est levé et les vagues grossissent.

Il se plaint que le remorqueur soit trop petit. Je saisis la réponse d'un sauveteur indien.

— Il n'y a pas de problème pour les hommes. Mais si vous voulez parler de l'éléphant, non. Vous en achèterez un autre quand nous aurons atteint la côte.

La Poigne me cherche du regard. J'ai réintégré ma cachette sous le menton de Mo.

— Nous devons faire vite, poursuit le marin, la tempête repart.

Il a raison. Les vagues ont enflé. Des chapeaux d'écume coiffent leurs crêtes.

Les uns après les autres, les naufragés montent à bord du *Sahib*. Ils s'écroulent, épuisés, sur le pont. Il ne reste plus que moi, blotti sous le cou de Mo.

— Écoute, garçon ! me crie la Poigne. La meilleure solution est de monter vite fait sur ce bateau. Nous reviendrons avec un plus gros pour embarquer l'éléphante ! Tu entends ?

La trompe de Mo est complètement immergée, excepté le bout. Avec la tempête qui approche, elle n'a aucune chance de survivre. D'une petite voix résignée, je réponds au matelot :

— Ça va, la Poigne ! Mo et moi, on va se débrouiller !

— Qu'est-ce que tu racontes ? Tu dis des bêtises ! Je te jure qu'on va revenir avec un bateau pour récupérer ton éléphant. Monte avec nous ! Je me suis attaché à toi. Je ne vais pas te laisser maintenant ! Bram, tu m'entends ?

La voix de la Poigne se brise. J'ai ordonné à Mo de nager. Nous nous éloignons peu à peu du remorqueur.

J'entends la Poigne hurler :

— Reviens, Bram ! Reviens, nom de Dieu ! Tu es un sacré gosse ! Mais tu ne peux pas t'en sortir, cette fois !

Je m'enfonce avec Mo dans le brouillard. Je sens qu'elle n'a plus de force. Sur le pont du *Sahib*, je distingue encore la silhouette de la Poigne qui s'agite.

— Reviens, Bram ! crie-t-il, la voix étranglée. On va attacher Mo avec les cordes et on va la remorquer !

La Poigne essaie de soulever des rouleaux de corde. Il demande aux autres de l'aider. Un marin s'approche de lui, lève un bâton et frappe. La Poigne s'effondre.

Le capitaine du *Sahib* hurle un ordre. Le moteur vrombit. Le remorqueur se cabre et part en fendant péniblement les vagues.

Souffrant et grelottant, je me serre contre Mo. La tempête reprend.

Le brouillard se dissipe en partie. La lune aux trois quarts pleine, toute blanche, brille à travers les gros nuages noirs qui couvrent le ciel. Les vagues sont devenues lisses comme les replis, répétés à l'infini, d'une immense étoffe liquide. Une pluie fine et tiède tombe, couvrant la mer de fossettes aux reflets argentés. La masse que forme le corps de Mo émerge à peine de l'eau. De petits remous tourbillonnent lentement autour d'elle en formant des cercles concentriques. Des épaves du *Ghanjee* frappent contre ses flancs. J'utilise un grand morceau de bois pour essayer de maintenir la trompe, amorphe, hors de l'eau. La peau est froide au toucher. Mo semble vidée de toute énergie. Seuls ses yeux manifestent de la vie. Elle surveille tous mes mouvements à travers ses paupières mi-closes. Blotti sous son menton, je soutiens sa grosse tête comme je peux. Je grelotte, affaibli par la soif.

— Mo ? Tu m'écoutes ?

Je sens juste un léger frémissement. Je m'aperçois qu'elle a fermé les paupières. Affolé, je crie : « Mo ! Mo ! » Elle les entrouvre. Me regarde. Toute son existence de confiance et d'amour est présente dans ce regard.

Je passe un doigt sur le pli de peau douce autour de ses yeux. Je pose ma joue contre la sienne. Calme et grave, je lui dis :

— Au revoir, Mo. Ce n'est rien de mourir. Pense au cirque, à la grange, à Emma, aux champs de trèfle. Pense à tes amis, et... on se retrouve de l'autre côté.

Sa tête disparaît lentement sous l'eau. D'instinct, elle sait que nous sommes arrivés au terme de notre aventure. Une tendre chaleur m'envahit à l'idée de retrouver papa.

Je bloque mon bras entre les mâchoires de Mo pour m'engloutir avec elle dans la mort. Pendant quelques instants, je ne sens que des bulles. La houle a cessé. Un sentiment de paix et de silence me gagne. J'expire lentement quand j'entends au loin un bruit étrange. Il ressemble à un vrombissement. On dirait la vibration d'un moteur ! C'est bien cela, et le bruit s'amplifie !

Je me tortille pour dégager mon bras. Je frappe Mo sur la joue pour qu'elle se réanime. Trop tard, nous nous enfonçons inexorablement. L'eau, les bulles, le bruit... Pris dans un grand tourbillon, je perds conscience.

Soudain, je sens l'impact d'un énorme choc si brutal, si violent que Mo sort du coma et réagit. Elle se remet à nager et nous remontons à la surface de l'eau. J'ai les yeux éblouis sous la lumière des projecteurs. Des hommes-grenouilles nous entourent. Certains soutiennent la trompe de Mo et soulèvent sa tête, tandis que d'autres nageurs arriment une sangle de toile sous son ventre.

Des bras puissants m'agrippent. Je me retrouve allongé sur une surface dure. À demi conscient, je cherche Mo des yeux. Je la vois flotter au-dessus de ma tête, suspendue à une grue. Elle est hissée vers l'arrière du ferry, plate-forme articulée baissée à fleur d'eau.

Au moment de toucher le sol, ses pattes sans force se dérobent. Mo s'affale sur le flanc comme une grosse poupée de chiffon.

Une voix lance un ordre : « Moteurs ! » J'entends aussi : « Message radio... Calcutta. » Et je perds connaissance.

Au royaume des éléphants

Des formes douces aux couleurs pastel, du blanc, du marron clair, du jaune pâle, m'enveloppent. Dans le lointain, une voix assourdie me parle : « Bram ? Tu m'entends ? C'est Kelly… Kelly Hanson, du bateau… »

Filtrés par le voilage de coton qui entoure le lit, les traits francs et vigoureux du visage de Kelly m'apparaissent. Le naufrage me revient en mémoire brutalement. Je me soulève. Aussitôt, une douleur cuisante me saisit tout le corps. Les muscles, les articulations, les tendons sont contractés et douloureux. Je gémis :

— Mo ! Elle est vivante ?

— Elle est très fatiguée, mais elle est vivante, me répond Kelly. Je savais bien que ce serait la première question que tu allais me poser. C'est pour ça que je suis venu. Mo s'en est sortie !

— Où est-elle, Kelly ?

— Dans un endroit spécial pour les éléphants. Ce n'est pas très loin d'ici. Nous sommes à Calcutta, en Inde. Bram, c'est l'Orient, ici. C'est très différent de l'Europe. Ils ont beaucoup d'éléphants. C'est… Qu'est-ce que tu fais ?

J'essaie de me lever.

— Minute, garçon ! Tu es dans cet hôpital depuis sept jours. Laisse le docteur faire son boulot. Demain, je t'emmènerai voir Mo.

Une infirmière entre dans la chambre, le regard courroucé.

— Comment tu as fait pour t'en sortir, Kelly ? Et les autres marins, tu sais ce qui leur est arrivé ?

Kelly écarte le voile de la moustiquaire et me presse la main.

— J'ai eu de la chance. Avec trois autres gars, j'ai pu m'accrocher à un grand morceau de la cabine du capitaine. Mais ç'a été vraiment dur...

L'infirmière intervient avec autorité. Kelly s'éloigne.

— Salut, garçon ! À demain ! Repose-toi !

Je me rendors paisiblement.

À mon réveil, la pièce est plongée dans l'obscurité. J'allume la petite lampe de chevet. Je découvre que je ne suis pas seul dans la chambre. Au bout de la pièce, assis en tailleur sur un tapis, il y a un vieil homme en turban et en pagne. Il tient à la main un cordon relié au ventilateur fixé au plafond. Il dort profondément. Le ventilateur, qui rafraîchissait l'atmosphère de la chambre, s'est arrêté. La chaleur lourde et moite qui a envahi les lieux m'a tiré du sommeil.

Hors de question que j'attende demain ! Je veux rejoindre Mo immédiatement ! J'écarte le voilage à la recherche d'une ouverture. Trop fébrile pour la trouver, je déchire la gaze transparente et me glisse hors du lit. Où sont mes vêtements ? Je ne les vois nulle part. Tant pis ! Je prends une taie d'oreiller. Elle va me servir de pagne une fois que j'aurai percé des trous pour passer les jambes. C'est fait. Avec le cordon de la moustiquaire, je serre la taie autour de ma taille. L'habit est sommaire mais décent. Avec une seconde taie, je confectionne un turban. En examinant mon déguisement dans la porte en fer-blanc de l'armoire à pharmacie, j'estime que j'ai l'air d'un Indien. Personne dans le couloir. Aucun bruit. J'avance lentement à la recherche d'une issue.

L'hôpital a été construit au début du siècle. Les hauts plafonds voûtés et les colonnades en bois sculpté font penser à un palais. J'atteins la rambarde d'un balcon intérieur, qui surplombe un patio. De là, j'observe, fasciné, la cinquantaine de ventilateurs qui tournoient pour maintenir le maximum de fraîcheur. Les employés somnolent, comme hypnotisés par le mouvement des pales.

L'éclairage des couloirs, des escaliers est assuré, la nuit, par des bougies, pour économiser l'électricité fournie par un générateur. Je parviens à descendre les deux étages sans être vu. Enfin, je gagne la rue, après avoir franchi, silencieux comme un chat, les grandes arcades de l'entrée.

L'inconnu.

Je scrute l'obscurité pour trouver la direction à prendre. À droite ? À gauche ? La chaussée est en terre battue parsemée de nids-de-poule, de gros cailloux, d'ornières et de flaques de boue noirâtre. La rue, faiblement éclairée, est bordée d'immeubles en terre, certains hauts de deux étages. Des petites fenêtres ont été percées dans les murs au gré de l'inspiration des propriétaires. Il n'y a pas le moindre souffle d'air, les auvents bigarrés tendus au-dessus des portes des immeubles restent parfaitement inertes.

J'avance au hasard. Je croise des chiens efflanqués qui vagabondent de-ci, de-là, suivis par des chèvres. Je passe devant des mendiants groupés autour de petits feux de bois où ils font cuire la nourriture qu'ils ont trouvée. Ils se déplacent en jetant des regards craintifs autour d'eux.

Je suis très faible. J'ai la nausée. Des douleurs lancinantes me tourmentent. Je longe les rues en trébuchant. À un croisement, des panneaux sont fixés sur le tronc des arbres. Une sorte d'enseigne retient mon attention. Je peux lire :

KIMSET ROYAL ÉLÉPHANTÉRIUM — 10 KM

L'éléphantérium doit être l'endroit spécial dont m'a parlé Kelly. J'engage mes pas dans la direction que montre le panneau. J'entends derrière moi le tintement d'une sonnette. Un vieillard à bicyclette s'arrête à ma hauteur. Je ne saisis pas le moindre mot de ce qu'il me raconte, mais je finis par comprendre qu'il m'invite à me percher sur le guidon de sa machine pour me conduire à l'éléphantérium. J'accepte son offre de bonne grâce.

Il pédale et moi je serre les dents. Chaque fois que les roues du vélo franchissent un nid-de-poule, je grimace sous la douleur. Le vieil Indien ne cesse d'actionner la petite sonnette fixée sur la poignée du guidon. Il va finir par attirer l'attention sur nous ! Il semble obsédé par cette sonnette. Il carillonne à chaque ornière, fondrière, mare de boue traversée. Soudain, il pose le pied à terre. Il tend le bras pour me montrer la direction que je dois prendre : une route qui s'enfonce dans la nuit. Je le remercie du mieux que je peux. Il repart en faisant retentir la sonnette.

Je ne vois pratiquement rien ni devant ni autour de moi. J'avance en hésitant sur une centaine de mètres.

Mon regard est attiré par le scintillement lointain de rayons lumineux. J'accélère le pas. Je passe un virage, et là je m'arrête, saisi par un des plus merveilleux spectacles que j'aie jamais vus.

Un palais d'une extrême blancheur se dresse sur une falaise. Une multitude de projecteurs colorés inondent de lumière le bâtiment et les champs environnants couverts d'une herbe fournie.

Les murs de la résidence sont en albâtre et le toit est parsemé de stupas, de dômes, de spirales qui montent vers le ciel. Des allées, bordées de chrysanthèmes, de bougainvillées et de roses, sillonnent les pelouses et rayonnent dans toutes les directions. Des fontaines déversent des cascades d'eau fraîche, qui deviennent des ruisseaux et des torrents ruisselant au pied de statues multicolores.

Face à l'entrée du palais, hissé sur un piédestal, j'aperçois une réplique en teck grandeur nature d'un majestueux éléphant indien, la tête et la trompe triomphalement levées.

Jamais de ma vie je n'ai vu un tel déploiement de raffinement. J'emprunte une allée dallée qui mène à un escalier de marbre. Je gravis une quarantaine de marches avant de comprendre que l'entrée du palais est surveillée par des gardes. Un petit sentier part vers la droite. Je m'y jette et m'enfonce dans un dédale de roses, de lilas et de jonquilles. Bientôt, au parfum douceâtre des fleurs se mêle une senteur suffocante que j'adore : l'odeur fauve des éléphants !

Je traverse le jardin en oubliant mes douleurs. À une vingtaine de mètres devant moi se dresse un ensemble de bâtiments aux murs de pierre blanchis à la chaux, avec des toits en fuseau et des colonnes torsadées dorées à la feuille : l'éléphantérium.

La porte du bâtiment principal grince sous ma poussée. D'après l'écho, je comprends que je viens de pénétrer dans un endroit très vaste. L'allée centrale est éclairée par une rangée de bougies posées à même le sol. La lumière distillée par les flammèches est trop faible pour me permettre de voir où je suis. Mais les éléphants sont là. Je les entends respirer bruyamment en expulsant l'air par la trompe. Je perçois aussi le raclement des chaînes sur le sol. Je referme la lourde porte et remonte l'allée. De part et d'autre, je distingue la formidable silhouette d'un éléphant puis d'un autre, la peau rougie par la flamme vacillante des bougies. J'en ai le souffle coupé. Il y en a de toutes les tailles : des grands, des moyens, des petits. Certains portent des pansements, des attelles. C'est un véritable hôpital pour éléphants.

Attachés aux chaînes qui leur entravent les pattes, ils portent de lourdes plaques métalliques d'identification. Je ne trouve pas Mo parmi eux. Inquiet, je me mets à frissonner. J'ai peur qu'elle ne soit morte et que Kelly n'ait pas osé me le dire.

Je chuchote : « Mo, tu es là ? »

Les éléphants m'écoutent en remuant leurs grandes oreilles. Je répète : « Mo ! Mo ! » Un par un, les éléphants me répondent par des grognements, des couinements. Puis tous ensemble. Le concert de barrissements devient vite assourdissant. Je me tais. Je ne bouge plus. J'attends. Ils se calment.

Je crois entendre un appel qui provient de la partie du bâtiment totalement plongée dans le noir. Le son est à peine audible. Les battements de mon cœur s'accélèrent. C'est la plainte d'un animal qui essaie de s'exprimer. Je ramasse une bougie et j'y vais. « Mo, c'est toi ? » Je ne vois presque rien, je trébuche sur des outils posés par terre. « Mo ? Où es-tu ? Parle-moi pour que je te trouve ! »

Un gémissement monte du sol. Je tombe sur les genoux : Mo est là, juste là, devant moi !

« Mo ! Mo ! Tu es vivante ! »

Je pleure des larmes de joie et d'extrême gratitude. Mo promène sa trompe sur mon visage en m'explorant de son mieux. Je me couche sous son menton. Elle pose sa trompe sur mon épaule comme une mère avec son enfant. La voix étouffée par l'émotion, je lui parle de bateaux, d'océan, de naufrage, de souffrance, de survie. Et je m'endors, la joue contre sa tête.

Des éclats de voix, des bruits de pas, des appels, des exclamations dans une langue bizarre résonnent au-dessus de ma tête. J'ouvre les yeux : des visages d'hommes enturbannés sont penchés sur moi. Ils me considèrent comme un sujet de grande curiosité. Un petit Blanc au milieu de cent éléphants ! Ils m'observent, partagés entre la réprobation et l'hilarité.

Je n'ai pas vu le jour se lever. Je me suis laissé surprendre. Je me dresse sur mes pieds et me lance dans une vaste entreprise de communication :

— Vous parlez allemand ? Anglais ? Quelqu'un parle anglais ?

Les Indiens examinent mon accoutrement. Pas un ne se risque à me répondre. On ne parle pas à un type qui porte une taie d'oreiller entre les cuisses ! Ils doivent me prendre pour un fou échappé d'un asile. Je me désespère. Un jeune homme, enfin, écarte le groupe. Il s'avance vers moi et me dit en anglais :

— Je m'appelle Sabu. Je suis responsable de l'éléphantérium et je travaille sous les ordres du docteur Scharren, le vétérinaire de l'hôpital. Je vous demande, monsieur, si vous êtes conscient ou non du danger que vous encourez ici.

Sa politesse me rassure. J'emploie pour lui répondre l'anglais que j'ai appris sur le bateau avec Kelly, la Poigne et les cuistots. Ce que l'on peut appeler, au propre comme au figuré, un anglais de cuisine.

— Je suis Bram. J'étais sur le *Ghanjee*. J'ai connu le naufrage avec Mo, mon éléphante, ici présente. Savez-vous ce qui nous est arrivé ?

Sabu traduit ma réponse aux cornacs, puis, le visage bien plus détendu, me dit :

— Je sais qui vous êtes. Mais vous ne pouvez pas rester là.

Je désigne Mo en m'écriant :

— Elle a besoin de moi !

— Vous êtes très pâle, monsieur. Venez vous reposer dans une chambre.

— Je veux rester ! Je suis inquiet. Elle est très malade !

Sabu me regarde d'un air grave.

— La circulation du sang est mauvaise.

— Elle a une péronite !

— Non, mais depuis son arrivée elle ne fait rien d'autre que de se tourner de temps en temps.

— C'est qu'elle essaie de vous expliquer...

Je renonce à parler. Je préfère me pencher immédiatement sur Mo. Doucement, je lui ordonne :

— Mo, ma belle, lève-toi !

Les yeux grands ouverts, elle me regarde, puis regarde autour d'elle pour jauger la situation. Elle rassemble ses forces.

Je crie aux Indiens :

— S'il vous plaît, à l'aide ! J'ai besoin de votre aide !

Les Indiens se mobilisent, désireux d'agir, attendant les ordres. Mo fait des mouvements de bascule, relevant les pattes un peu plus haut à chaque roulement. Au troisième essai, elle lance la tête en avant. Je crie aux Indiens :

— S'il vous plaît, maintenant !

Soutenue pas six hommes, Mo parvient à se redresser et à s'accroupir en empruntant la position du sphinx.

— Repose-toi une minute, Mo, et laisse le sang affluer dans tes veines.

Sabu la frictionne avec une lotion astringente pour faciliter la circulation du sang. J'approuve son initiative. Nous frottons l'éléphante de toutes nos forces.

D'autres Indiens viennent en renfort. Nous sommes vingt autour de l'éléphante.

— Debout, Mo, debout ! Nous devons découvrir le monde, et je ne vais pas le faire sans toi !

Elle recule ses deux pattes de devant et dresse la tête. Je demande aux hommes de l'aider encore une fois.

— S'il vous plaît, que chacun l'aide à se lever.

Mo appuie sur ses pattes de toutes ses forces. Les hommes la soulèvent, certains se placent sous elle, ce qui est dangereux en cas d'échec. Peu à peu, l'éléphante parvient à hisser ses quatre tonnes.

Nos cris de victoire sont relayés par les barrissements tonitruants des autres éléphants. Sabu fait apporter des supports spéciaux. Une sangle est glissée sous le ventre pour que Mo puisse soulager ses pattes affaiblies.

Je veille Mo jour et nuit. Je la nourris, je la fais boire, je la nettoie. Pour me faire accepter par le personnel de l'hôpital, j'assiste le docteur. M. Scharren est un monsieur fort corpulent qui a du mal à se baisser, à marcher, à monter les escaliers. Il est satisfait de ma collaboration.

— Tu devrais faire l'école vétérinaire, Bram. Tu es doué !

— J'ai toujours aidé mon père à soigner les bêtes, chez nous, en Allemagne.

Le docteur me regarde, un peu ému.

— Tu es jeune. Profites-en pour faire des études, après, il sera trop tard !

— Sauf votre respect, je préfère devenir dresseur. J'ai plus de plaisir à voir les éléphants en pleine forme que malades !

Il éclate de rire.

— Tu es un bon garçon ! Le propriétaire de l'éléphantérium m'a donné l'ordre de soigner ton éléphante le mieux possible.

— À ce propos, j'ai une requête à vous formuler.

— Je t'écoute.

— Si vous rencontrez le propriétaire, pouvez-vous lui dire que je souhaiterais rester ici avec Mo jusqu'à son rétablissement ?

— Tu peux compter sur moi.

— Merci, docteur.

Le soir, un cortège d'apprentis et d'assistants cornacs portent un grand lit en teck qu'ils placent dans la stalle de Mo. Les mots *HATHI-KASAB* sont gravés sur le pourtour de la tête du lit. Sabu me traduit :

— Cela veut dire « Maître des éléphants ».

Je partage les repas avec l'équipe de l'éléphantérium. Le récit du naufrage a fait le tour de Calcutta. Je passe pour un héros. Le courage de Mo et mon dévouement pour la soigner les touchent.

J'ai l'impression que le mal dont elle souffre n'est pas seulement physique. Après les épreuves qu'elle a traversées, il lui faut du temps pour reprendre confiance et se sentir en sécurité. Elle était si bien dans la Forêt-Noire, à la ferme, au cirque ; brusquement, elle se retrouve enfermée dans la soute d'un cargo, jetée dans la tempête et soignée en Orient ! Elle n'a pas le moral. Si je n'étais pas près d'elle, elle se sentirait abandonnée. Elle se suiciderait.

Kelly vient avec des fruits, des noix et des petits cadeaux achetés sur les marchés. Aujourd'hui, son visage est grave.

Nous allons marcher dehors. Il sort un journal de sa poche. Le naufrage du *Ghanjee* est évoqué en dernière page. Le cargo a traversé l'un des plus violents typhons qu'on ait vus dans la région depuis dix ans. L'article mentionne les épaves qui ont été recueillies le long de la côte. Parmi elles, le corps d'un éléphant mâle. Un coup de lance me traverse le cœur.

— L'éléphant qu'ils ont trouvé sur la plage, Kelly, c'est Krono !

Kelly me presse le bras pour me réconforter. Je pense à Emma et à Tina, mortes, elles aussi.

— Ce n'est pas tout, Bram. Impossible de savoir si la Poigne est vivant.

Nous allons et venons sur la pelouse. Pour briser le silence, peuplé de visages d'amis morts, je désigne à Kelly une haute coupole dorée qui surplombe les arbres de la forêt voisine.

— Tu vois cet endroit ? C'est l'enclos où l'on garde le Hathi.

— De quoi me parles-tu, Bram ?

— Comment, tu ne sais pas ce qu'est le Hathi ?

— Je n'ai pas cet honneur !

— C'est l'éléphant blanc du maharadjah ! Le propriétaire de l'éléphantérium. Personne n'est autorisé à le voir. Mais tout le monde en parle.

— C'est parce qu'il n'existe pas en vrai, ton Hathi, fait Kelly.

— Les hindous le vénèrent comme une créature sacrée !

— Justement, les hommes vénèrent ce qu'ils ne voient pas. Et moi j'affirme que ce qui ne se voit pas n'existe pas. Comme ça, je risque moins de me tromper !

— Le Hathi existe. Mon père m'en a parlé. Et moi, Bram Gunterstein, je le verrai un jour ! Sais-tu ce que disent les Indiens ? Ils affirment que si moi et Mo nous avons survécu au naufrage, c'est que nous avons une mission à accomplir.

— La mienne, s'exclame Kelly, est de retourner en Amérique !

— Tu pars quand ?

— Je reste le temps qu'on ait retrouvé tous les corps des marins, des collègues du cirque… Je représente leurs familles. Et toi, tes projets ?

— Mes projets ? C'est de rester avec Mo. Je l'ai promis à mon père.

Le lendemain, un coursier apporte un message écrit à l'encre dorée. Le propriétaire de l'éléphantérium serait charmé de m'avoir à déjeuner.

Sabu m'escorte au palais. Il est nerveux, anxieux, embarrassé.

— Bram, j'ai quelque chose à te dire.

— Vas-y !

— As-tu jamais rencontré un maharadjah ?

Je fais le faraud.

— Jamais personne ne s'est présenté à moi en se disant maharadjah.

L'ironie désinvolte de ma réponse épouvante Sabu.

— As-tu au moins rencontré un roi dans ton pays ?

— Ben, non. Mais pourquoi ?

— Un maharadjah, c'est comme un roi. Bon. Il faut que je t'explique, sinon...

Je fais moins le malin.

— Sinon, quoi ?

— Si tu ne connais pas les manières, tu vas être la risée du palais !

— Ouh, là, là ! Affranchis-moi !

— On n'a pas beaucoup de temps. Je t'explique très vite, en gros. Tu ne dois jamais adresser la parole en premier au maharadjah ni lui tendre la main. Tu ne dois jamais t'asseoir avant lui. Tu ne dois jamais t'asseoir plus haut que lui. Tu dois le remercier en permanence. Tu ne dois pas lui poser une question s'il ne t'a pas autorisé à la formuler. En revanche, tu dois toujours répondre à sa question même si tu ne connais pas la réponse. Tu dois...

— Je ne me rappellerai jamais tout ça !

Je regarde le palais avec angoisse. Sabu soupire.

— Quand on sera devant lui, tu fais comme moi ! Tu fais pareil !

— Je me décalque sur toi ? D'accord.

Un serviteur nous attend dans le grand hall de marbre violet et blanc. Il nous conduit dans un immense patio qui donne sur une sorte de véranda. D'où nous sommes, nous surplombons le parc. Je vois des étangs d'eau bleue, des cascades limpides comme du verre, des plantes tropicales multicolores. J'aperçois des flamants roses et des sortes de daims évoluant en liberté sur les pelouses.

Le serviteur apporte sur un plateau deux verres en cristal remplis d'un breuvage violet irisé. Sabu prend un verre. Je saisis l'autre. Il boit. J'avale. C'est délicieux. Sabu repose son verre. Je suis désolé d'avoir à faire de même. Il se fige. Ses yeux fixent quelque chose dans mon dos. En me retournant, j'aperçois deux hommes âgés d'une quarantaine d'années. Le premier porte un turban incrusté de pierres précieuses. Il est très élégant dans son manteau blanc parfaitement ajusté. Des perles en bordent le col et s'égrènent de haut en bas du vêtement. De plus petites soulignent les revers des poches et les coutures. Un pantalon de velours assorti et de fines chaussures en peau complètent le costume. L'autre homme, de type occidental, porte une saharienne ornée d'épaulettes, un pantalon d'équitation et des bottes de cuir bordeaux impeccablement cirées.

Sabu s'incline. Je fais de même.

— Bienvenue, mon garçon ! lance le maharadjah en me tendant simplement la main. J'aimerais te présenter M. John Rudyard. Il possède des forêts de tecks en Birmanie. M. Rudyard va passer quelque temps chez nous et utilisera nos installations pour entraîner certains de nos éléphants au travail en forêt.

Nous passons à table où sont postés quatre serviteurs.

Sabu mange. Je mange. Le maharadjah s'adresse encore à moi.

— Je tiens à vous féliciter pour votre courage et votre fidélité à votre amie. Vous avez le cœur généreux, mon garçon.

Je suis gêné. Je tortille ma serviette, ne sachant que dire. Sabu se porte à mon secours.

— Bram a accompli un travail remarquable, Votre Majesté. Il semble avoir une aptitude particulière pour contrôler les éléphants en jouant sur leurs émotions plutôt qu'en les contraignant.

Le maharadjah ne me quitte pas des yeux.

— Je trouve cela très intéressant, fait-il.

Il mange. Nous mangeons. Sa voix s'élève à nouveau.

— Peut-être aimeriez-vous, mon cher Bram, que John vous montre comment on entraîne les éléphants pour le travail dans les forêts de tecks ?

Je réponds spontanément :

— Ah oui ! Je veux dire : merci, Votre Majesté.

Je jette un rapide regard en direction de Sabu. Il m'envoie un clin d'œil discret et rassurant. Je ne me suis pas déshonoré.

Le soir, allongé sur mon lit « Maître des éléphants » dans la stalle de Mo, je lui raconte tout : « Une table somptueuse était dressée au bord d'un grand bassin. Les serviettes étaient élégamment pliées, il y avait des verres de Murano en cristal rouge, au pied très étiré, les assiettes étaient en porcelaine de Chine. Chaque convive avait un serviteur pour lui. Je n'ai jamais manqué de vin dans mon verre. J'ai dit au maharadjah que tu avais le cœur robuste. Tu sais ce qu'il m'a répondu ? Il m'a dit que tu avais une bonne nature. Il a ajouté que personne ne meurt jamais. Emma, Tina, Krono se sont métamorphosés en papillons. Tu te rends compte ? En papillons ! »

Je m'endors d'un seul coup, ivre.

Le maharadjah m'accorde son hospitalité aussi longtemps que je le désire. Je loge dans l'enceinte même de l'éléphantérium, la partie du bâtiment qui surplombe l'aire d'entraînement réservée aux éléphants.

La résidence est bâtie en teck sculpté poncé et poli à la perfection. J'emménage dans une chambre située juste au-dessus de la stalle de Mo. Nous sommes reliés par un petit escalier en colimaçon.

Ici, tout est en teck : les lattes du parquet sont découpées dans des branches et des feuilles de teck, le lit, les placards sont en teck.

J'adore ma nouvelle demeure. Une splendide moustiquaire tissée à la main est suspendue au-dessus du mon lit, lui-même orné d'éléphants peints en vert, bleu, rouge dans des scènes d'exercices variées. Une large et haute fenêtre à deux battants ouvre sur un balcon. Après la journée de travail, je vais goûter l'air du soir.

Debout, planté sous mon balcon, un Indien, timidement, m'appelle. Il est revêtu d'un uniforme de marin. Je reconnais un matelot qui était avec nous dans l'océan. Intrigué, je dévale l'escalier et me porte à sa rencontre.

— Je suis Vinod Shah, me dit-il en ôtant sa casquette. Je sers dans la marine britannique. J'étais sur le *Ghanjee*. J'ai fait naufrage avec vous. Votre éléphant m'a sauvé la vie. Voilà... Je viens vous demander pardon pour l'acte horrible que j'ai commis !

Je le considère avec étonnement. Je ne comprends pas du tout à quoi il fait allusion. Vinod Shah poursuit :

— Quand nous avons été secourus par le remorqueur, un marin a voulu essayer de faire monter votre éléphant à bord. Vous vous rappelez ?

— Vous voulez parler de la Poigne ?

— Je ne connais pas son nom. Je vous parle du marin qui voulait tracter votre éléphant avec une corde. Ce qu'il voulait faire était irréalisable. Mais j'ai eu tort de le frapper. Je n'ai pensé qu'à moi, à sauver ma vie.

Il est bouleversé. Je lui prends le bras.

— Voulez-vous clairement m'expliquer ce qui s'est passé ?

— J'ai ramassé un morceau de bois et j'ai frappé M. la Poigne sur le crâne. Il est tombé. On m'a dit plus tard qu'il était mort sur le coup.

Le visage congestionné par l'émotion, Vinod Shah s'exclame :

— Je suis un misérable ! Je voulais continuer à vivre !

— La Poigne est mort ? Avez-vous vérifié dans les journaux ? À l'hôpital ?

— Dans ce pays, chacun a sa version des faits. C'est difficile de savoir la vérité. Je voulais vous remercier pour m'avoir sauvé la vie avec l'éléphant. Si vous le permettez, je vais vous laisser, à présent.

Vinod Shah s'éloigne. Cet homme, dans l'épreuve, a perdu l'esprit. En venant se confesser à moi, il a voulu retrouver un peu d'honneur.

Des corps de naufragés ont été retrouvés à une centaine de kilomètres de Calcutta, vers l'est. Un violent courant les avait ramenés en pleine mer. Un autre courant tout aussi violent les a finalement rejetés sur la côte. Sur la liste des morts publiée par le journal, je découvre les noms du capitaine Patel, du chef cuisinier, ainsi que de six Américains, dont Jake, le dresseur d'éléphants. Le marin que j'appelle la Poigne ne figure pas sur la liste des marins disparus.

Le journal ne mentionne pas les animaux. Je pense à leur terreur. Perdre des animaux que l'on aime est pénible, mais apprendre qu'ils sont morts noyés est encore plus douloureux.

Pour chasser mes tristes pensées, je songe une fois encore au mystérieux Hathi, appelé Atoul. Je ne cesse d'interroger Sabu à son sujet. « Atoul, me dit-il, est tenu à part dans un temple doré, situé aux abords de la forêt. Personne n'a le droit d'y aller. Il est très grand. Ses défenses, grises à la base, aux extrémités blanches comme du lait, pèsent soixante-quinze kilos chacune. » Sabu ajoute : « Atoul est blanc comme neige, ses yeux sont noirs comme l'ébène, ses ongles sont peints en rouge sang, les poils de sa queue sont tressés. » Il me fait rêver.

Du bruit sur la piste me tire de mes songeries. Je me précipite sur le balcon : M. John Rudyard entraîne Dindhi et Kali, deux grands éléphants pourvus de splendides défenses.

Le pourtour de l'arène est constitué d'épais troncs de teck solidement assemblés qui forment une barrière indestructible. Dindhi et Kali, sous la direction de M. Rudyard, déplacent des troncs d'arbres d'un bout à l'autre de l'arène. Les éléphants tirent, poussent, portent, traînent les lourdes billes de bois.

Transporter le bois est une tâche harassante. Toutefois, pour un éléphant, ce travail me paraît bien plus intéressant qu'un numéro de cirque. Dresser des bêtes pour amuser les gens révèle tout de même un certain manque de respect vis-à-vis de l'animal. L'éléphant ne sait pas qu'il est ridicule lorsque, sur la piste, il accomplit ce qu'il considère comme une tâche. En même temps, je réalise tout ce qu'il y a d'arbitraire dans mon jugement. L'animal réussit un numéro parce que ça lui plaît et qu'il s'entend bien avec le dresseur. Un spectateur mal embouché peut le trouver stupide ou ridicule, mais l'éléphant ne l'est en aucune manière.

Je suis injuste. Pour dire la vérité, je rêve d'aller en Birmanie, dans une forêt de tecks, avec Mo. J'aimerais devenir cornac. Cela me paraît mieux que dresseur.

Toute la nuit, j'ai rêvé de la forêt. Le matin, la tête pleine d'images, je garde les yeux fixés sur le dosseret en bois sculpté du lit. Il est couvert de dessins d'éléphants. La figurine la plus élaborée représente Atoul le mystérieux. Il est représenté une patte levée, la trompe recourbée vers le haut, les oreilles en alerte, les défenses pointées. Il incarne une sorte de dieu animal. À force de l'admirer, les yeux finissent par me brûler. Je les plisse une fraction de seconde puis je les rouvre. J'ai la chair de poule : Atoul me regarde ! Ses yeux noirs, doués de vie, fondent sur moi ! Je pivote rapidement pour m'échapper et je tombe à la renverse, le cul sur le sol de la chambre. Je redresse prudemment la tête : tout paraît normal. Je reprends prudemment ma place sur le lit : et regarde Atoul. Je n'éprouve aucune peur. J'ai le sentiment que l'éléphant blanc aux yeux noirs veille sur moi.

Au petit matin, j'apprends à Mo comment transporter des troncs de teck en m'inspirant de la méthode de John Rudyard. L'exercice hâte sa convalescence, l'effort la stimule : elle n'est plus déprimée. Je remarque l'apparition de nouveaux muscles. Son corps évolue, son apparence physique s'améliore.

Après l'effort, nous partons nous promener au bord de la rivière Agra. Ses eaux bleu foncé serpentent à travers une forêt aussi belle que celle de mon enfance. De temps en temps, une truite jaillit et vient brouiller la surface de l'eau, pulvérisant le reflet du paysage en mille éclats. Des arbres immenses couverts de plantes grimpantes et de plantes tropicales aussi grandes que les oreilles de Mo bordent les rives. Les fleurs exotiques, de toutes les couleurs, semblent tombées du paradis.

Le sentier de sable rouge que nous empruntons est couvert de centaines d'empreintes de pattes circulaires. Nous approchons d'un lac. Des éléphants sont rassemblés pour la toilette. On les entend de loin pousser des beuglements. Accroupis sur la berge, ils se font décrasser par leurs cornacs. Une fois propres, la queue et la trompe levées, les éléphants se jettent dans le lac en barrissant de plaisir. Ils sont une vingtaine à s'ébattre dans l'eau.

Mo reste au bord, les oreilles au repos, la trompe inerte, fixant les vaguelettes qui clapotent contre ses pattes.

Je lui frictionne doucement les jambes de haut en bas.

— T'en fais pas, ma belle, c'est normal. Je ressens la même chose que toi. C'est le traumatisme après le naufrage.

Sa trompe me flaire le bras.

— Mais un jour tu comprendras que ce moment horrible appartient au passé.

À l'aide d'un panier en osier que je vais plonger régulièrement dans le lac, je l'asperge d'eau de la trompe à la queue. C'est un travail fastidieux. Après plusieurs paniers, Mo est nette et récurée. Alors, elle se relève puis se place le dos tourné aux autres éléphants qui barbotent dans le lac.

— Ça va revenir, Mo, t'en fais pas !

Une automobile arrive par le sentier. Kelly est au volant. À en juger par la tête qu'il fait, il a sûrement quelque chose d'embarrassant à me confier. Il prend son temps. Je le laisse descendre de voiture et venir tranquillement à moi.

Levant les yeux vers le ciel bleu, il soupire profondément.

— Cet endroit va me manquer ! Toi et Mo aussi. Quelle expérience ç'aura été !

— Tu t'en vas ?

Je suis mal à l'aise, malheureux même. Je souffre de ne pouvoir jamais garder longtemps mes amis.

— Eh oui, mon garçon. Je dois retourner dans mon pays. Je ne suis pas dresseur d'éléphants, moi, je suis régisseur ! Tu vas me manquer, répète-t-il.

Plusieurs mois ont passé depuis le naufrage. Accueilli et instruit, en matière d'éléphants, par les membres de l'équipe de l'éléphantérium, je porte comme eux des vêtements indiens, je suis un régime végétarien, parle hindi de mieux en mieux. Bref, je suis devenu indien. Kelly n'est pas dans ma situation.

— Je ne sais comment te remercier pour tout ce que tu as fait pour moi. Je me suis toujours demandé pourquoi tu avais fait tout cela. T'es pas obligé de répondre, Kelly, mais j'aimerais bien le savoir !

Il se racle la gorge, se passe la main dans les cheveux. Ma question l'embête. Pour chasser la gêne, il éclate d'un bon rire puis se décide à me répondre.

— Quand j'ai vu combien tu avais été blessé par le refus catégorique de Jack North, je me suis senti désolé pour toi. Ton père venait de perdre la vie, tu allais perdre Mo. En fait, je crois que j'aurais agi comme tu l'as fait. J'avais envie que tu le fasses, Bram ! C'était normal, alors, que je te donne un coup de main pour que tu réussisses !

Il arrache des brins d'herbe qu'il triture quelques instants.

— Surtout ne va pas le répéter, ajoute-t-il. Je suis régisseur, je suis un type impitoyable et discipliné. J'ai une réputation à défendre, tu comprends ?

Je souris.

— Bien sûr, Kelly. Mo et moi ne dirons à personne que tu es un homme !

Il sourit.

— Kelly, je n'ai pas écrit à ma famille. Personne ne sait que je suis ici. J'ai peur de perdre Mo. Tu comprends ?

— Tu ne devais pas être à bord du *Ghanjee*, fait Kelly. Moi, je ne t'ai jamais vu de ma vie ! Ni toi ni ton éléphant. Je ne vous connais pas. Vous n'existez pas pour moi !

Il me serre fort dans ses bras et remonte rapidement dans la voiture. Je lui crie : « Bonne chance pour l'avenir ! » Il me fait un signe de la main en démarrant. Après son départ, j'ai un dur coup de cafard qui me tombe sur les épaules. Je mesure combien je suis éloigné des miens.

Je n'ai toujours pas écrit à ma mère ni à Gertie. La raison de mon silence a un nom : Jack North. Lorsque la Poigne m'a découvert à bord du *Ghanjee*, le capitaine Patel a signalé par radio ma présence aux autorités. C'est la loi. Puis il y a eu le naufrage. Les journaux de Calcultta ont parlé d'une éléphante courageuse qui a sauvé des hommes. Jack North a diligenté une enquête. Il va vouloir récupérer l'éléphant. En poussant l'enquête, il va savoir que je me trouvais à bord du cargo. Par conséquent, il a certainement contacté ma famille pour tenter d'avoir de mes nouvelles. Il a compris que là où je suis il trouvera Mo, et réciproquement. Et je ne le veux pas. Je suis obligé de laisser ma mère dans l'incertitude sur mon sort. Elle doit espérer de toute son âme que je suis toujours en vie, que je n'ai pas été englouti dans les profondeurs de l'océan. Mais, si j'ai réchappé, peut-elle envisager que j'aurais la cruauté de la laisser sans nouvelles ? Certainement pas. Et, pourtant, je l'ai, cette cruauté, à cause de Mo.

Je me sens coupable. Égoïste et coupable.

— Allez, Mo, on rentre !

Devinant mon malaise, elle avance, tête basse.

Sabu court à ma rencontre.

— Bram ! Bram ! J'ai une grande nouvelle pour toi !

Il reprend son souffle, puis annonce :

— Le maharadjah t'autorise à voir Atoul !

Je saute à terre.

— Quand ?

— Ce soir au crépuscule. Un serviteur t'attendra au bord du lac, près du grand mimosa !

— C'est formidable !

Sabu retrouve son flegme d'homme bien élevé.

— C'est exceptionnel, Bram. C'est un insigne honneur !

J'attends au pied du grand mimosa. J'ai enfilé ma plus belle veste. Je suis prêt pour rencontrer Atoul. Le soleil passe derrière l'horizon. Un homme vêtu d'un turban blanc, d'une kurta blanche et de sandales blanches apparaît sur le tertre.

Il se tient si raide que je pourrais le prendre pour une statue. Je fais un pas vers lui. Il me salue d'un léger mouvement du menton. Joignant les paumes, il s'incline lentement.

— Je m'appelle Jagrat. Le maharadjah m'a ordonné de vous emmener près d'Atoul.

Je le salue de la même façon :

— Je m'appelle Bram. Je vous remercie de m'accorder ce privilège.

Nous nous enfonçons dans la partie interdite de la forêt. Les plantes foisonnent librement. La lune, au-dessus des feuillages, transforme la forêt en un décor d'ombres chinoises. J'aperçois la coupole dorée du temple de l'éléphant blanc. Mais, au lieu de diriger nos pas droit sur lui, Jagrat prend un chemin détourné. La végétation devient de plus en plus dense, rendant notre progression laborieuse. Un carillon retentit, une seule note, perçante, toujours la même. Je sens ses vibrations se répercuter dans mon corps. Jagrat marche vite. Je m'efforce de ne pas le quitter un instant des yeux. Soudain, sur un rocher en saillie, à vingt mètres à peine de nous, la silhouette magnifique de l'éléphant blanc se découpe dans le disque lunaire.

Atoul est tendu, aux aguets. Il m'observe. Je ne bouge plus. Un rayon de lune effleure les extrémités de ses défenses et un éclat de blancheur plus vive encore se superpose à celui de l'astre.

Jagrat me fait signe qu'il faut continuer à marcher. Le sentier contourne la colline et débouche sur la plate-forme rocheuse.

L'éléphant sacré est devant moi. Il mesure cinq mètres de haut, une taille exceptionnelle. Je pourrais marcher sous lui sans que ma tête touche son ventre massif. Son corps est d'une blancheur parfaite. Il dresse fièrement ses défenses effilées comme des poignards. Sa trompe est deux fois plus épaisse qu'une trompe ordinaire.

— Avance par-devant, chuchote Jagrat, et tiens-toi à côté de lui.

Atoul ressemble à une créature mythique, immuable et intemporelle. J'inspire profondément, je me tasse sur moi-même, me présente, puis me range à son côté. Je remarque qu'il porte deux grelots suspendus à son cou l'un d'argent, l'autre d'or gravés du même motif sphérique que la broche fixée sur le turban de Jagrat.

Les yeux noirs d'Atoul me transpercent comme s'ils voulaient me pénétrer l'âme. La vision que j'ai eue dans mon lit me revient. Cette fois, je ne ferme pas les paupières. Je soutiens l'échange. Je me laisse engloutir par l'intensité de son regard. Je suis comme envoûté.

Saisi de vertige, les sens exacerbés, je perds la notion du temps et de l'espace. Soulevé de terre, les mains agrippées à de petits cylindres lisses et doux, je suis absorbé tout entier dans une lumineuse blancheur.

Je flotte dans une sphère parmi les atomes qui composent la vie : la forêt, les animaux, la terre elle-même. Toutes les choses se connaissent et coexistent harmonieusement. Transporté dans cette sphère lumineuse de vie et de mouvements parfaits, j'ai l'impression merveilleuse de fusionner avec l'univers. Une musique monte à mes oreilles. Elle émane de la multitude des atomes, chacun émettant un son particulier pour créer une symphonie sublime... Bientôt, je n'entends plus que la mélodie syncopée d'une flûte, puis c'est le silence.

— Buvez ceci.

Jagrat me tend un verre rempli d'un breuvage doré et pétillant. Je suis installé dans un grand fauteuil en rotin placé sous la haute voûte d'un temple. Je me redresse vivement.

— Où sommes-nous ?

— Buvez.

Je saisis le verre, avale la boisson. Jagrat me surveille.

— Nous sommes dans le temple d'Atoul, me répond-il. Nous nous trouvons dans la salle réservée à la méditation.

Je regarde autour de moi. La pièce me fait penser à un temple miniature. Un dôme surplombe des murs ornés de mosaïques. Le sol est en marbre. Une table basse en teck et en cuivre, entourée de coussins, trône au milieu de la salle.

— Comment vous sentez-vous ? me demande Jagrat.

— Merveilleusement bien ! Mais comment suis-je parvenu ici ?

Le visage du serviteur du temple reste imperturbable. Je réfléchis. Je me rappelle m'être approché d'Atoul. J'ai senti une odeur d'encens. J'ai regardé dans ses yeux noirs. C'était une sensation prodigieuse. Je flottais dans une bulle d'énergie pure qui s'est mise à tournoyer, j'ai entendu une mélodie envoûtante, une musique dont le souvenir reste gravé dans mon esprit.

Mon trouble fait sourire Jagrat. Il se déplace lentement à travers la salle. Les rayons de lune qui se déversent dans la pièce font scintiller les motifs raffinés qui courent sur le sol de marbre.

— Le maharadjah, dit Jagrat, a voulu que tu rencontres l'éléphant blanc. Il a souhaité savoir si tu étais capable d'entrer en communication avec Atoul. Vous vous êtes fondus en une seule pensée naturelle. Atoul a créé le passage vers la connaissance et tu as été en mesure de le suivre, de faire cette expérience et de revenir. Tu as le pouvoir de communiquer avec les animaux. Maintenant, tu dois apprendre à t'en servir pour écouter la voix de la nature. Beaucoup d'hindous croient en une loi qui régit tout l'univers et ils se consacrent à la recherche de la vérité. Ils méditent en silence en quête du nirvana, l'illumination, qui est leur but suprême. Nombre d'entre eux ressentent une béatitude céleste dans la solitude et la méditation. Ici, nous suivons la loi de la nature. Dieu est la nature, Dieu est parfait, la nature est parfaite. Toutes les créatures vivantes sont reliées entre elles par la vibration de la vie. La nature entend une voix et lui obéit. C'est pour cette raison que dix mille oiseaux peuvent s'envoler de la surface d'un lac en même temps sans se toucher. L'homme, quant à lui, n'entend que sa voix et il se heurte sans cesse à son semblable. Il ne viendrait pas à l'idée d'un lion d'essayer de manger des légumes ni à un éléphant de la viande. L'homme croit être libre alors que, bien souvent, il est le jouet de sa convoitise. Rappelle-toi, Bram, la lune, l'océan se reflètent dans une goutte d'eau ; il en va de même pour Dieu. Il se reflète dans chaque chose vivante, dans un grain de sable comme sur la plage tout entière, dans une étoile comme dans l'univers tout entier. Chaque être vivant est présent en tout être vivant.

Jagrat se déplace lentement à travers la pièce. En l'écoutant, je sens s'éveiller en moi une force inconnue, une aptitude à écouter, à comprendre, à connaître.

— Le libre arbitre de l'homme, poursuit Jagrat, perturbe son rapport au monde.

— N'est-il pas aussi naturel pour l'homme de posséder un libre arbitre que pour les animaux d'en être privés ?

Jagrat acquiesce.

— Quand l'homme choisit de développer son pouvoir de communication avec la nature, il se réconcilie avec le monde et la séparation est abolie. Ce que tu as été capable d'accomplir avec ton éléphant représente ce que l'homme recherche depuis toujours : communiquer avec la nature à travers les animaux. Conserve précieusement ce don et cultive-le. Écoute attentivement les vibrations, le chant de la nature. Les bruits de la nature composent un chant, et les êtres vivants sont les musiciens d'un grand orchestre. La plainte du vent dans une forêt de pins résonne comme l'archet sur les cordes d'un violon, le grondement de la mousson est un basson, les oiseaux sont des clarinettes, la foudre des cymbales, le ressac de l'océan une harpe. Un vrai chant singulier monte de chaque être vivant. Écouter les bruits de la nature revient à entendre tous les aspects de la création simultanément et séparément. Car l'homme, la nature et Dieu sont un.

Vu du lit, le soleil ressemble à un gros jaune d'œuf plaqué contre la vitre. Ses rayons rouges embrasent les draps. J'ai le sourire en me réveillant. Il n'existe pas de meilleur endroit au monde pour vivre avec Mo que l'éléphantérium. Ici, j'apprends sur la vie, la nature, les éléphants. Je me retourne, bienheureux, avec la ferme intention de replonger dans le sommeil. Le lit se met à tressauter ! Les vibrations sont tellement puissantes qu'il m'est impossible de rester allongé. Mo donne des coups de trompe au plafond. Il est six heures du matin. Elle estime qu'il est temps d'aller au travail.

— Je descends, Mo ! J'arrive ! Oh, là, là !

Un barrissement joyeux me répond.

Je nettoie la stalle en lui racontant ma rencontre avec Atoul.

— Tu sais, maintenant, je ne suis plus un enfant. Je suis un homme !

Une heure plus tard, je cours, angoissé, dans les allées du parc. Le maharadjah me fait signe de m'asseoir sur un banc. Il m'a convoqué de toute urgence. Je l'écoute avidement.

— Je viens de recevoir une longue lettre d'un citoyen d'Amérique du Nord, un certain Jack C. North. C'est bien l'homme dont tu m'as parlé ?

— Oui, c'est le propriétaire du cirque et de Mo, Votre Majesté !

— Il a lu dans un journal le récit de ton naufrage.

Je sens mon estomac se contracter et brûler.

— C'est ce que je redoutais !

Le maharadjah poursuit :

— Convaincu que l'éléphante dont on parle dans le récit est Mo, persuadé que d'autres animaux du cirque ont été sauvés et recueillis à Calcutta, Jack North vient d'embarquer pour l'Inde.

Mon cœur cesse de battre. Je reste pétrifié sur le banc.

— À ton propos, poursuit le maharadjah, il m'écrit ceci : *En ce qui concerne ce garçon, ne vous laissez pas abuser par lui. C'est un voleur. Il s'est emparé d'un bien qui m'appartient. Non seulement je n'aurai de cesse que de le récupérer mais je veillerai à ce que Bram Gunterstein soit sévèrement puni par la justice.*

Le maharadjah repose lentement la lettre sur le banc. Il m'autorise à en prendre connaissance. Mes yeux parcourent le message. Sous l'emprise de l'émotion, je suis incapable d'en déchiffrer une ligne. Je me lève en tremblant.

— Je dois emmener Mo tout de suite ! Je dois m'en aller avant qu'il arrive !

D'un geste, le maharadjah me demande de me calmer.

— Je peux convaincre ce monsieur de te garder comme dresseur de Mo, fait-il. Il n'y a pas meilleur dresseur que toi. Il acceptera car c'est une décision juste et raisonnable. Je lui demanderai de mettre ton comportement sur le compte de l'impulsivité propre à ta jeunesse. Je lui parlerai de tes progrès en tout point.

J'éclate aussitôt.

— Votre Majesté ! M. North est dépourvu de raison ! Ce qui le motive, ce qui lui donne de l'énergie, c'est la haine, l'argent et le mépris des plus faibles ! Il ne m'aime pas parce que mon père était juif. Il ne m'aime pas parce que je suis juif. Demandez-lui pourquoi il n'aime pas les juifs !

— Je vais proposer à ce monsieur de racheter Modoc. C'est la meilleure solution.

— Il n'acceptera jamais ! Jamais !

— Je peux essayer, Bram... Tu viens de me dire qu'il aimait l'argent.

— Majesté, je vous suis très reconnaissant de votre gentillesse et de votre hospitalité. Je quitte l'éléphantérium. Je suis en danger !

L'attitude amicale du maharadjah disparaît. Sa voix devient ferme, son regard se fait dur.

— Je suis le souverain du royaume. Je ne saurai rien faire d'illégal. Je ne peux pas te laisser t'en aller avec l'éléphant de Jack North. Ce serait contraire à tous les principes, et mes sujets perdraient confiance en moi.

— Mais alors, vous n'êtes pas mon ami !

Le maharadjah reste silencieux un long moment. Je me sens abandonné, livré à la loi des plus forts.

— Voici ma réponse, fait le souverain du royaume. Modoc est placée sous mon autorité. Personne n'a le droit de l'emmener. Mes gardes s'opposeront à toute tentative. Et si jamais quelqu'un s'avisait de transgresser la loi, j'en serais extrêmement irrité ; je ferais rechercher cette personne dans tout le pays. L'Inde est vaste et les endroits où se cacher avec un éléphant ne manquent pas. Je préviendrais aussitôt M. North de cette situation fâcheuse et je lui apporterais mon concours. Mais je ne pense pas que quiconque serait assez fou pour tenter une chose pareille. N'est-ce pas, Bram ?

Je balbutie :

— Bien entendu, Majesté, personne ne serait assez fou pour tenter une chose pareille !

Dans ma chambre, j'empile mes affaires sur le sol, puis je range chaque pile dans un sac de toile. On frappe à la porte. Je fais disparaître tous les sacs dans un placard.

Sabu entre doucement. Il chuchote :

— Bram, je t'ai apporté des cartes des régions que tu traverseras si tu prends la direction des forêts de tecks.

— Je ne sais pas de quoi tu parles !

— Moi non plus, je ne sais pas ! Je veux seulement que tu prennes conscience que l'Inde est un pays vaste et pauvre. Tu peux rencontrer des voleurs.

Il dépose les cartes sur le lit et s'en va.

Ne pouvant faire mes adieux au maharadjah, j'invente un prétexte pour obtenir une audience. Il me reçoit dans la salle du trône. Intimidé, je n'ose avancer. Des cacatoès blanc et pêche hérissent leurs plumes à ma vue, moi, l'indigne petit juif allemand, rebelle fugitif et voleur d'éléphant.

— Viens t'asseoir à côté de moi, fait le maharadjah. Tu voulais me parler ?

— J'ai tellement été affolé par la nouvelle de l'arrivée de M. North que j'ai oublié de vous dire combien la rencontre avec Atoul a été importante. Je me sens plus mûr, plus en accord avec la vie. Ce que j'entreprendrai, à présent, je le ferai avec une énergie nouvelle.

Le maharadjah esquisse un sourire compréhensif. Il frappe dans ses mains. Un serviteur approche et s'incline devant moi. Sur le coussin rouge qu'il me présente, je vois briller une chaîne en or avec un médaillon similaire à celui que porte Jagrat.

— Prends ! me dit le maharadjah.

Je découvre mon nom, « Bram », gravé sur le médaillon, sous les armoiries du royaume.

Je pleure d'émotion. Le maharadjah m'ouvre les bras.

— Viens, Bram !

Il m'embrasse comme si j'étais son fils.

Je sors du palais, troublé. Sabu surgit et glisse prestement un message dans ma main.

— De la part de Jagrat ! souffle-t-il.

Il déguerpit, farouche comme un chat-tigre.

J'attends avec Mo sous le grand mimosa. J'ai décidé de partir cette nuit de pleine lune. La forêt est silencieuse et sent le gingembre. Les rayons de l'astre percent à travers les feuillages.

— *Salaam*, Bram.

— *Salaam*, Jagrat.

— Avant ton départ, je dois faire quelque chose pour Mo.

Je ne réponds rien, conscient que ce que Jagrat va accomplir est d'une grande importance.

— Guide ton éléphant au bord de l'eau.

Je conduis Mo sur la rive du lac et lui demande de rester immobile. Jagrat m'entraîne en haut d'une butte. Nous nous asseyons. La surface du lac est lisse et calme. Mo, debout sur la rive, donne des petits coups de trompe dans la vase.

Soudain, un cercle de vaguelettes se forme autour d'une grande masse qui bouge et avance. Sur la rive, Mo écarte brusquement les oreilles, lève la trompe en scrutant les eaux. La créature sous-marine se dirige vers elle.

Mo est saisie par la trompe. Elle gronde, proteste mais ne peut résister. Elle est entraînée dans l'eau. Elle flotte en barrissant.

Elle nage maintenant au milieu du lac, encouragée par Atoul !

— Désormais, prononce Jagrat, Mo n'aura plus peur de l'eau. Et c'est heureux car vous aurez de nombreuses rivières à franchir sur votre chemin. Bon voyage !

Il disparaît.

La fuite en forêt

Les rues de terre et de brique sont presque vides. Les mendiants, accroupis sous les porches, nous regardent passer sans bouger. À Calcutta, personne ne fait vraiment attention à un éléphant qui marche dans la nuit, pas plus qu'au bétail, aux chèvres, aux ânes ou aux coqs, qui picorent sur les bas-côtés.

Nous entrons dans la forêt au moment où le soleil se lève. J'emprunte la piste la plus piétinée. Elle conduit vers la mer.

Le ciel sans nuages et la rosée du matin annoncent une journée très chaude. Je vérifie le harnachement de Mo en m'assurant que la ventrière de chanvre ne la serre pas trop. Le palanquin repose sur un tapis de selle de trente centimètres d'épaisseur garni de laine de chameau et bordé d'une tresse de sisal. Son armature robuste est construite en bambous géants liés ensemble par des fibres de roseau, de sisal et de racines de la jungle. La litière est assemblée sans vis ni boulons car elle doit faire corps avec l'animal et ne pas être trop rigide pour ne pas le pincer ni l'écorcher. Six trous ont été aménagés au sommet du cadre où sont plantés les montants d'un petit dais qui me protégera de la pluie ou des rayons du soleil. J'ai ajusté les balluchons en cercle autour de la litière de façon qu'ils se trouvent à portée de main. Le plancher du palanquin est constitué de gros rotin solide, tapissé d'une épaisse couverture. En fait, c'est assez confortable.

Allongé sur le dos, je regarde le soleil jouer à travers les branches d'arbre. Ici une étincelle, là un reflet doré. J'écoute la musique de la forêt toute frémissante de vie.

Mo avance d'un pas lourd et régulier. Je lui fais tellement confiance que je pique un somme.

Je n'entends plus le bruit des pattes de Mo qui s'écrasent sur le sable du sentier. Je me redresse d'un bond. La trompe levée, Mo pousse des petits couinements d'avertissement. Je me penche au bord du palanquin pour découvrir ce qui l'arrête. Un python traverse la piste. Il mesure facilement six mètres de long, car je vois sa tête se faufiler dans l'herbe de l'autre côté du chemin alors que sa queue se tortille toujours dans les taillis du côté opposé. Mo reste figée sur ses pattes, les oreilles en alerte.

— Tout va bien, ma fille, lui dis-je, tout en jetant un regard méfiant vers l'endroit où j'ai vu disparaître le serpent. Il est passé. Tu peux y aller.

Mo s'ébranle précautionneusement, s'enhardit, et nous repartons gaillardement. Je devrais dire : Mo repart, gaillarde. Elle transporte ma paresseuse personne deux heures sans s'arrêter.

Un sentier s'achève, un autre commence. Le tout est de choisir la bonne direction. Je compulse les cartes fournies par Sabu.

Un jour passe, une semaine passe. Nous cheminons dans la forêt vers le sud-est pendant un mois. Il ne se produit rien de fâcheux. De temps à autre, nous croisons un autre éléphant. Je salue le cornac, qui répond à mon signe, et nous poursuivons notre route.

Je veux gagner la Birmanie et les forêts de tecks. Il me semble que c'est le seul endroit où Mo et moi pourrons subvenir à nos besoins, tout en échappant aux recherches lancées par Jack North.

Après des semaines de forêt, nous pénétrons dans les rues étroites et sinueuses de la petite ville de Cushda. Les habitants déferlent de partout, occupés à leurs affaires, dans un vacarme et un désordre bon enfant. J'ai vidé tous les sacs à provisions. Pour manger, il faut chercher du travail.

Un jour, je surveille le troupeau de chèvres d'un paysan. Un autre jour, je guide Mo pour qu'elle tire des voitures enlisées dans la boue. Le jour suivant, je lui demande de ne pas bouger pendant quatre heures, le temps que trois hommes, montés sur son dos, accrochent une enseigne au toit d'une maison. Le lendemain, elle transporte des outres d'eau tirée d'un puits situé au sommet d'une colline jusqu'à la ville. Les sacs à provisions remplis, nous repartons.

Je ne compte pas les jours. Nous progressons, c'est l'essentiel. Nous atteignons les hauts plateaux couverts de bambous. Mo dévore leurs tendres racines avec délectation. Les taillis des jeunes arbres sont si denses qu'ils rendent invisibles les tigres, nombreux à hanter les collines.

Les grands fauves respectent les éléphants. Ils ne s'attaquent pas à eux. Ils craignent leur puissance. En revanche, pour un tigre, j'incarne la tentation, l'appât, la succulente cerise sur le dos de l'éléphant. Sous aucun prétexte je ne quitte le palanquin. J'épie le moindre frémissement des taillis. Le soir, je me hasarde sur le sol pour allumer de grands feux et je grimpe vite me réfugier dans la litière. La nuit, j'entends le feulement des fauves derrière les flammes.

L'angoissante traversée dure trois semaines ! Nous débouchons, épuisés, sur une vaste plaine qui s'étend jusqu'aux grandes chaînes de montagnes du Sud. Mon regard se perd vers les cimes qui moutonnent jusqu'à l'horizon.

Les forêts de tecks sont de l'autre côté. Les Indiens appellent Klippzanii la terre aride que nous foulons. Les arbres sont dénudés et tordus par la sécheresse et le vent. Mo se nourrit chichement de touffes d'herbes clairsemées, ce qui nous oblige à nous arrêter souvent. Nous buvons l'eau des petits torrents qui dégringolent des montagnes. Je n'oublie jamais de remplir les outres en cuir de chameau.

Il fait de plus en plus chaud. Je tends un drap de lin au sommet du palanquin pour échapper à la brûlure du soleil. Je laisse les pans flotter sur les flancs, sur la tête et la croupe de Mo pour la protéger. Les ondulations de chaleur montent du sol nu et sec, dessinant des formes mystérieuses qui dansent dans le désert étouffant. Mo ressemble à un mammouth surgi de la préhistoire.

Accablé par la chaleur, je m'assoupis sur le tapis de selle. Mo devine que je me repose, elle avance en évitant le moindre à-coup, ce qui provoque un roulis monotone, très délassant, très engourdissant. Peu à peu, je transpose ce balancement dans mes rêves. Je revis les embardées du cargo avant le naufrage, celles du camion qui servait à tracter la roulotte des éléphants. Je me retrouve, enfant, bercé dans les bras de ma mère. Soudain, je sens Mo contracter ses muscles. Des chevaux hennissent. Des pas rapides piétinent le sol. Mo s'est arrêtée. Une voix graveleuse trouble l'harmonie naturelle.

— Ô puissant sahib ! Vous voyagez seul sous cette tente ridicule ?

D'autres voix aux accents moqueurs s'élèvent.

— Vous êtes deux, là-dedans ?

— Ou trois ?

— Il y a une femme, peut-être ?

— Il s'agirait de sortir de vos appartements, mademoiselle, ou peut-être madame, et de nous montrer votre joli minois !

Je plonge la main dans un sac et j'en tire un poignard que je glisse dans ma ceinture. Je soulève un pan du drap ; je rencontre aussitôt la pointe d'une longue épée. À l'autre bout, un visage sale me fixe, les yeux menaçants.

Les moqueurs sont vêtus de haillons déchiquetés et multicolores. Ils ont les cheveux tressés en nattes qui se dressent sur la tête. Le lascar, qui me tient en respect avec son arme, juché sur un tronc d'arbre brisé, porte un bout de tissu noué sur le haut du crâne. Est-ce le chef ? Un autre gaillard, planté à côté de Mo, dirige la pointe d'un sabre sur une patte. Deux autres types me toisent, le dos appuyé contre un arbre. Ils sont cinq en tout.

— Mais c'est un jeune coq ! fait celui que je considère comme le chef. À qui as-tu volé cet éléphant ? Pour sûr, tu l'as volé. Pas un garçon ne possède une aussi belle monture !

Je me racle la gorge en essayant de prendre un ton viril.

— Que voulez-vous ?

— Devine !

J'adopte un ton froid et dur.

— Écartez-vous ou je vous écrase !

Les hommes éclatent de rire. Le chef appuie la pointe de l'épée sur ma poitrine.

— Descends de ton perchoir ou je t'embroche, jeune coquelet !

— Fichez-moi la paix !

Je m'apprête à donner à Mo le signal du départ. Le chef intervient.

— Ne fais pas ça ! Parce qu'alors l'ami Ranji va trancher le talon d'Achille de ta grosse bestiole ! Badaboum, patatras, aïe-aïe-aïe, plus de bestiole !

Il a raison : un coup de sabre bien placé suffirait pour que Mo s'écroule et ne se relève jamais !

Je rassemble mon courage pour répliquer :

— Si vous lui tranchez la patte, qu'est-ce que vous allez en faire, après ?

— C'est logique, fait le chef. Tu es intelligent pour un moustique, mais les gens trop intelligents me fatiguent !

D'un coup d'épée, il tranche la sangle qui retient le palanquin, si bien que je verse à terre avec tous les sacs dont le contenu s'éparpille sur le sol. Mo cingle nerveusement l'air de sa queue. Elle cherche à comprendre ce qu'il se passe.

Les bandits se précipitent sur les balluchons, fourrageant à qui mieux mieux. Le chef m'attrape par le bras et m'envoie embrasser le tronc d'un arbre. Étourdi par le choc, je tombe à la renverse sur le dos. J'ai la pointe de l'épée sur la gorge. Mo pousse un grognement. Elle veut se porter à mon secours. Je crie :

— Bouge pas, Mo !

— Tu n'es pas stupide, fait le bandit. Tu as de la cervelle. Pour le reste tu ne vaux rien, à part ton éléphant qui, lui, est superbe.

— Qu'est-ce que vous voulez dire ?

Deux bandits remontent sur leurs chevaux. Le chef poursuit.

— Nous allons emmener l'animal. Si tu fais quoi que ce soit pour nous en empêcher, je le tue, et toi après. C'est clair ?

Il me soulève par le col de la chemise et me regarde les yeux dans les yeux. L'odeur rance de crasse et de sueur qu'il exhale me soulève le cœur.

— C'est clair ? hurle-t-il.

Mo pousse un grognement sonore. Tête basse, trompe relevée, elle avance sur le bandit.

— Stoppe l'éléphant ou je le tue !

— Non, Mo ! Calme-toi !

Elle se fige, le corps parcouru de tremblements. Un étrange borborygme guttural résonne au fond de sa gorge.

— Allez ! On l'emmène ! hurle le chef.

À la façon dont ils s'y prennent, ils ne connaissent rien aux éléphants. Leur cupidité les met dans une situation potentiellement dangereuse.

— Parle à ta bête et dis-lui d'obéir ! me dit le chef.

J'avance vers Mo, lui caresse la trompe.

— Je veux que tu partes avec ces hommes, ma toute belle.

Je sais qu'elle ne comprend pas littéralement ce que je lui dis, mais elle capte mon intention avec une grande finesse.

Deux cavaliers lui passent des cordes autour du cou. Ils se postent de chaque côté. Le chef monte en selle et chevauche en tête de convoi. Il s'arrête bien vite en constatant que personne ne le suit. Les cordes tendues à son cou, Mo s'arc-boute. Elle refuse d'avancer. Le chef se met en rogne. J'ai peur qu'il ne donne l'ordre de lui trancher le talon d'Achille. Aussitôt, je lance :

— En avant, Mo ! Tout va bien, ma belle ! En avant !

Elle répond par un petit couinement et s'ébranle docilement.

Planté devant l'immense plaine aride, j'assiste, impuissant, à leur départ. Le vent tiède qui souffle du nord soulève des nuages de poussière. Les ondulations de chaleur dessinent d'étranges images sur l'horizon. Mo et les cavaliers qui l'escortent se fondent en une seule silhouette qui semble se dissoudre pour finalement se volatiliser dans le désert.

Je reste là à regarder. Que faire ? Au milieu de ce magma de formes confuses, un point noir apparaît. Un point qui grandit et dont les contours se précisent peu à peu. Je m'essuie les yeux à cause de la poussière. C'est un des cavaliers ! Ses haillons ondulent au vent, il arrive sur son cheval lancé au triple galop. Je frissonne de terreur. Les brigands m'ont laissé en vie, tout à l'heure, de peur de déclencher la fureur de l'éléphante, mais l'un d'entre eux a été chargé de revenir sur ses pas pour finir le travail : il revient me tuer !

Je le vois maintenant parfaitement. Il brandit l'épée, penché sur son cheval, concentré sur sa mission.

Je n'ai pas d'arme. Comment puis-je résister ?

Je place les mains en porte-voix autour de ma bouche. Je crie de toutes mes forces :

— MOOOOOOOO !

Le cri déchire le silence de plomb qui écrase le désert. Le vent brûlant emporte l'appel au-delà du cavalier et des mirages pour atteindre les oreilles de Mo. Son ouïe est capable de capter des sons imperceptibles aux humains.

Elle tend le bout de sa trompe dans le vent, la laisse retomber et commence à battre le sol. Elle ressent au plus profond d'elle-même la vibration primitive, la plainte angoissée de celui qui voit la mort fondre sur lui. Explosant d'énergie, Mo se cabre, soulève les chevaux qui l'escortent, projette leurs cavaliers à terre. Saisit avec la trompe l'homme à cheval derrière elle, l'écrase contre le sol, lui marche sur la tête et, d'un coup de trompe, le décapite. Le cavalier jeté à terre explose sous sa patte. Le chef lance un couteau qui atteint le poitrail de l'éléphante. Il n'a pas le temps de saisir son revolver, Mo le tient déjà dans sa trompe. Elle le soulève, le projette contre son genou et l'écrase. Le ventre du malheureux éclate sous la pression. Le dernier bandit a réussi à prendre la fuite. Mo pousse des barrissements effroyables.

J'affronte le cavalier. Je lui jette à la figure toutes mes affaires éparpillées sur le sol. Il éclate de rire tellement ma défense est dérisoire. Il tourne autour de moi en criant : « Je vais te couper la tête, petit coq ! »

Il saute de cheval, fond sur moi, le sabre tendu. Il veut me trancher la main ou le bras avant de me décapiter. Un vacarme arrête son geste. L'éléphante, les oreilles battantes, le corps ruisselant de sueur, la trompe cinglant l'air, ivre de sang et de meurtre, charge. C'est une montagne de rage qui s'abat sur lui.

Le sabre ballant contre la jambe, l'homme, pétrifié, ne sait comment contrer cette force de la nature. Mo le percute de plein fouet et le piétine. Le sol est aspergé de sang. Déterminée, elle déchiquette les restes de son ennemi. C'est horrible et sauvage. Jamais je n'avais vu Mo agresser qui que ce soit, homme ou bête, a fortiori ne l'avais-je jamais vue tuer. Elle s'acharne sur les éléments épars de l'homme jusqu'à en faire de la bouillie. J'ai peur. Elle s'arrête. Je vois le sang couler de sa blessure. Elle s'approche de moi, passe la trompe autour de mes épaules et me serre contre elle d'un mouvement protecteur. D'un geste rapide, je retire le couteau qui s'est fiché dans son poitrail. Son corps de géante frissonne.

— Mon Dieu, c'est horrible, Mo !

J'éclate en larmes.

Mo s'allonge de toute sa masse dans le lit d'un ruisseau. Elle aspire l'eau avec la trompe et la projette dans l'entaille, qui mesure presque vingt centimètres de long. Je nettoie la plaie de mon mieux avec un morceau de tissu. Je suis inquiet. Comment prévenir une infection ? Je confectionne un bandage que j'enroule sur son poitrail ! Je plaque le pansement avec une corde bien serrée encerclant l'épaule.

Et nous partons, laissant derrière nous une mare d'eau rougie. Je décide de remonter le cours du ruisseau pour atteindre les montagnes proches. Mo avance avec peine. La tête basse, elle traîne la patte. Sa blessure ne saigne plus, mais elle a beaucoup enflé et du pus suinte de la plaie.

Après deux jours de marche laborieuse, nous pénétrons dans un village niché à flanc de vallée. À peine avons-nous dépassé les premières maisons que les villageois se mettent à crier, affluent de toutes parts et me somment d'arrêter. Apparemment, ces Indiens n'ont jamais vu un Blanc. Je leur montre la blessure de Mo et demande un médecin. Ma question fait le tour du hameau. Des hommes reviennent avec des pommades, une bande et des antiseptiques. Je suis heureux, soulagé. Ces gens sont, en fait, paisibles et généreux. Ils m'invitent à passer la nuit au village.

Le lendemain, je pars à la découverte des lieux. Je suis très perplexe. Les habitants ont construit leurs maisons sans terrassement préalable. Toutes les constructions sont penchées. Cela ne semble pas déranger quiconque de marcher, manger, dormir en déséquilibre perpétuel.

Chaque année, m'explique un habitant, la mousson déverse des trombes d'eau sur le village. Les averses sont tellement violentes que des torrents de boue soulèvent les fondations. Les villageois ont renoncé à tout réparer après chaque inondation.

La mauvaise saison approche, me préviennent-ils. Je ferais mieux de passer l'hiver avec eux et d'attendre les beaux jours pour traverser montagnes et forêts. J'hésite. Je ne connais pas les ravages que provoque la mousson, mais, à leur expression, je peux m'en faire une idée. Pariant que les hommes payés par Jack North pour partir à ma recherche seront eux aussi arrêtés par les intempéries, je me range à leur avis. Ils semblent soulagés pour moi.

J'aide les villageois à clouer des planches sur les fenêtres, à renforcer les portes et les charpentes des maisons. Le plus important est de consolider l'entrepôt où sont amassées les récoltes de l'année : riz, blé, huile, semences. Mo aide au transport de l'eau potable, du puits au centre de stockage. Elle tracte des poutres. Elle travaille tellement bien et avec un tel enthousiasme qu'elle devient l'« éléphant du village ». Les enfants ornent son cou de dessins multicolores, accrochent des guirlandes de fleurs tressées sur sa tête. Ils sont même allés décrocher, du mur de la maison commune, une vieille tapisserie qui représente d'anciennes guerres locales pour l'étendre sur le dos de Mo. La reine Mo.

L'hiver arrive.

Des trombes d'eau s'abattent sur le village. Les averses ne ressemblent en rien à celles que j'ai vues tomber en Allemagne. Dans ce pays, elles forment un rideau liquide et dense qui ne laisse aucun répit aux hommes. Surgissant brutalement, une coulée de boue déferle depuis les hauteurs, traverse les rues à grande vitesse en emportant tout sur son passage. Elle achève sa course dans le fond de la vallée. Je comprends mieux pourquoi les Indiens ont renoncé à reconstruire leurs maisons. S'ils les avaient remises à niveau, le village aurait été balayé. Et moi, seul avec Mo, dans les montagnes, sous un pareil déluge ? Nous aurions été balayés, écrasés.

Des rires d'enfants résonnent autour de la maison. Ils me rappellent l'école et les jeux pendant la récréation. Souvenirs si lointains qu'ils me paraissent appartenir à une vie antérieure. Je n'entends plus le crépitement de la pluie sur les toits en tôle. Il fait beau. La mousson est finie. Les pluies ont ravivé les couleurs des collines alentour et le spectacle est magnifique.

Le retour du soleil sonne pour moi l'heure du départ. Je dois atteindre le plus tôt possible les forêts de tecks de Birmanie si je veux échapper à la haine de Jack North.

Ému, je laisse derrière moi une centaine d'hommes, de femmes et d'enfants. Juché sur le palanquin, je tourne la tête vers eux. Ils me regardent m'en aller. Je leur adresse un petit salut de la main. Aussitôt, un charivari de banderoles ondoyantes et un concert de sifflets me répondent. Mo lance un barrissement enthousiaste qui relance le chahut. Les cris des villageois nous accompagnent jusqu'au sommet de la montagne.

Nous forçons l'allure, nous arrêtant le moins possible, sauf pour manger, nous baigner dans les ruisseaux et dormir. Les pluies ont détrempé le sol des forêts. Un fort parfum musqué flotte dans l'air. La végétation ressemble à celle d'une jungle tropicale. De temps à autre, j'aperçois le soleil brûler au-dessus des cimes. Il fait une chaleur étouffante. Je suis toujours en nage dans cette atmosphère saturée d'humidité. Je déchire un morceau de tissu orange que j'entortille et attache autour de ma tête pour empêcher la sueur de goutter dans mes yeux.

Nous croisons en permanence des indigènes qui traversent la forêt en tous sens. Des femmes, les seins nus, cheminent en portant toutes sortes d'objets sur leur tête. Des hommes traînent des chariots faits de racines et de planches. Tous nous saluent chaleureusement.

Peu à peu, je tombe sous le charme de cette étrange forêt et j'oublie la raison de mon voyage. J'admire le plumage des oiseaux, je joue avec les singes dont le caquetage confus, mêlé au bourdonnement incessant des insectes, compose une sorte de chant. J'écoute avec attention la musique de la nature comme me l'a recommandé Jagrat. Et notre course s'en voit ralentie.

À travers la cacophonie, je distingue la chanson d'une cascade, et pousse Mo dans sa direction. Ses lourdes pattes foulent maintenant une pelouse vert tendre, douce, veloutée, semblable à celle qui entoure le palais du maharadjah. Une brume légère monte de la terre en tournoyant dans les rayons du soleil. J'aperçois la cascade. Au-delà s'étale le lit d'un magnifique étang parsemé de nénuphars. Leurs grandes feuilles attirent des myriades de libellules fluorescentes suspendues au-dessus de l'eau. Les buissons qui le bordent lui apportent un caractère d'intimité. Il fait trop chaud pour ne pas en profiter ! J'ôte mon pagne, range la chaîne en or du maharadjah dans un sac, et je me jette à l'eau. Je traverse l'étang plusieurs fois d'une brasse vigoureuse car plus le mouvement est énergique, plus le glissement de l'eau sur mon corps souligne la sensation de nudité. Mo s'asperge copieusement de jets d'eau fraîche tout en surveillant mes évolutions du coin de l'œil. Je me laisse flotter sur le dos sans penser à rien. Après les tigres, les bandits, la mousson, après toutes ces épreuves, le monde redevient un nid soyeux et aimant.

Il se passe un long moment avant que je ne réalise que je ne suis pas seul, que le chant que j'entends s'élever harmonieusement, mêlé au souffle d'air sur l'herbe, n'est pas celui d'un oiseau mais d'un être humain, plus précisément encore celui d'une jeune fille.

Surpris, j'en perds l'équilibre et coule à moitié. La chanteuse est proche de moi. Je nage rapidement vers le bord pour me camoufler au milieu des nénuphars. De ma cachette, je scrute avidement la berge. La jeune fille est assise, les jambes repliées en biais. Elle sèche au soleil ses longs cheveux de jais. Son pagne rouge et jaune est trempé. Et elle a les yeux braqués dans ma direction. Elle sourit. Je sors la tête des nénuphars.

— Salut ! je m'appelle Bram !

Elle éclate de rire.

— Et moi, je m'appelle Sian. Salut !

— Qu'est-ce qui te fait rire ?

— Rien, dit-elle en regardant mon tas de vêtements.

Je ne prononce plus une syllabe et reste caché.

En fille sérieuse, elle fait mine de se lever.

— Je m'en vais ! Je ne voulais pas t'intimider !

— Ce n'est pas un problème ! Mais si tu pouvais m'envoyer mes habits, ça serait encore mieux.

Moqueuse, elle ramasse mon pagne et me l'expédie par la voie des airs. Je l'enfile et gagne rapidement le rivage. La jeune fille que je découvre debout devant moi me paraît plus petite que je ne l'aurais cru de prime abord. J'avance donc vers elle avec assurance, le pas vif, le sourire à fleur de lèvres. Nos yeux se rencontrent et je suis soudainement frappé de mutisme. Le mal doit être contagieux, car elle aussi, par je ne sais quel étrange phénomène, se voit dépouillée de tous réflexes, paroles intelligibles et autres expressions courantes. Pour sauver la situation, j'appelle Mo en la priant d'avoir l'exquise politesse de bien vouloir se présenter à Mlle Sian. Mo tend une trompe curieuse vers la jeune fille, renifle ses cheveux, puis pose la trompe sur son épaule et la serre contre elle.

— Elle t'a adoptée, dis-je à Sian.

— Elle est superbe ! Veux-tu voir le mien ?

— Voir quoi ?

Elle lève les yeux au ciel.

— Mon éléphant !

— Tu as un éléphant ?

— Tu en as bien un !

— Évidemment.

— Il est juste à côté. Il appartient à mon père. Nous en avons quatre.

Elle désigne les buissons. J'aperçois un petit éléphant debout au bord du chemin.

— Mon père travaille dans une forêt de tecks, dit Sian. Si tu veux, on peut vous employer, toi et ton éléphant. Tu cherches du travail dans la région ?

— Euh, oui !

Je ne sais que très approximativement dans quelle région je me trouve. Sian dénoue la corde de chanvre qui reliait la patte de sa monture à un arbre. Détaché, l'animal fourrage la terre avec sa trompe, ramasse la corde et, comme s'il tenait sa propre laisse, s'avance vers sa maîtresse.

— Il s'appelle Swati.

— Il est beau.

Je remarque que Mo salue Swati assez dédaigneusement. Elle doit le trouver maigrichon.

Nous grimpons sur nos éléphants.

— L'exploitation est toute proche, me dit Sian, une heure de route à peine.

Les cornacs

C'est une véritable petite cité, plantée au cœur d'une vallée entourée de tecks immenses et traversée par une rivière boueuse.

— Je vais te présenter à tout le monde ! me dit Sian, très heureuse de me voir émerveillé.

Elle donne des petits coups pour faire avancer Swati. Nous descendons en ville.

Un homme corpulent vêtu d'une chemisette blanche ornée d'épaulettes et d'un short vient à notre rencontre. Il sort d'une grande maison sur laquelle un panneau indique : *Teak Forest Venture Ltd — Bureau.*

Sian saute à terre et l'embrasse chaleureusement. Devant l'air surpris que prend l'homme, je devine que ce geste d'affection n'est pas fréquent chez elle.

— Papa, je te présente Bram et Mo. Des amis !

Je fais un pas vers le père de Sian. Il me tend une main énergique.

— Je m'appelle Ya. Vous venez du nord, je suppose ? Et quelle est votre destination ?

Sian s'interpose sans me laisser le temps de prononcer un mot.

— Bram vient ici pour travailler, papa ! Il parle très bien l'hindi et l'anglais et il est allemand.

J'acquiesce d'un hochement de tête.

Ya hésite. Finalement, son visage s'éclaire et, sur un ton qui se veut conciliant, aimable, surtout respectueux de l'extrême susceptibilité de sa fille, il concède :

— C'est entendu ! J'en parlerai au contremaître. En attendant, fais visiter le village à ton nouvel ami.

Sian exécute l'ordre de son père avec un rare enthousiasme. Nous traversons l'exploitation de long en large. Trois grands bâtiments aux toits de chaume, adossés au pied de la colline, servent de cantine et de bureaux, m'explique Sian. Les entrepôts où l'on répare les harnachements des éléphants se trouvent près de la rivière. Tout au bout de la vallée, sur une hauteur, se trouve le temple bouddhiste. Au pied de l'édifice religieux, les habitations. Les plus grandes abritent les familles nombreuses. L'hôpital, l'école, la blanchisserie occupent des bâtiments séparés, plus petits. Cinquante cornacs, soixante assistants, une vingtaine d'hommes de peine et de gardes vivent dans l'exploitation avec leurs femmes et leurs enfants. Cela fait bien un vrai village.

Le long de la rivière, un dispositif retient mon attention. Sur une centaine de mètres de long courent deux grosses cordes parallèles, l'une en chanvre, l'autre en liane, séparées par un espace d'environ cinq mètres. Elles sont fixées à de lourds pieux disposés à intervalles réguliers. Tous les trois mètres, un cercle de corde relie les deux autres cordes entre elles. Sian m'explique que les cornacs alignent les éléphants et les attachent par la patte avant gauche et par la patte avant droite. On leur donne un emplacement différent tous les jours.

— Pour dormir, dit Sian, tu vas loger dans l'entrepôt des bananes. Tu peux emmener Mo avec toi !

Elle nous conduit vers une série de baraquements couverts de branches de bananier et de singes assis côte à côte. Sian me prévient que les araignées qui circulent dans les bananiers sont aussi grosses et velues que la main d'un homme. Il est fréquent, me dit-elle, que, voulant cueillir une banane, le gourmand imprudent se retrouve avec deux crochets plantés dans un doigt. Le plus souvent, il s'en débarrasse en écrasant l'araignée d'un geste sec contre le tronc d'un arbre. Seulement voilà, il arrive que les crochets restent fichés dans la main. Dans ce cas, il faut courir à l'hôpital où le docteur les ôtera au scalpel. Et ça fait mal.

— Dors bien. Et prends garde aux araignées ! me lance Sian avant de disparaître sur le sentier.

Un formidable concert de barrissements me jette hors de ma couche. Je bondis vers la fenêtre ouverte et découvre un spectacle extraordinaire. L'aube est à peine levée. Tout en bas, le long de la rivière, trente à quarante éléphants sont rassemblés avec deux fois autant d'hommes pour les préparer. Je m'habille rapidement, caresse la patte de Mo pour la prévenir que je reviens et cours vers la rivière, où se concentre l'essentiel de l'activité et du vacarme.

Les éléphants prennent leur bain matinal. Ceux qui se sont lavés sont agenouillés en sphinx. Des assistants ajustent des palanquins sur leurs dos. Les cornacs astiquent les défenses et enfilent un fourreau de cuir pour les protéger.

Les grands mâles utilisent leurs défenses pour ramasser les troncs et se servent de leur trompe pour équilibrer leur charge. Si un mâle devient agressif, le cornac visse des boules de bois dur sur les défenses pour l'empêcher de blesser ses congénères. Les femelles ont des défenses très courtes, parfois même, elles en sont dépourvues. Je pense aux défenses de Mo, qui commencent à croître.

Les plaisanteries des cornacs, les grognements des animaux, la fébrilité des préparatifs m'excitent beaucoup. Au milieu de la cohue, j'aperçois Ya en conversation avec un homme en chemise kaki ornée de toute sortes d'insignes et de badges. Il porte un short long, des socquettes et des bottines.

Ya me fait signe d'approcher. Il me présente à Singh, le patron de l'exploitation. M. Singh me demande de venir le trouver chez lui pendant la pause du déjeuner.

Je regagne à la hâte le baraquement des bananes pour changer de vêtements. Sian est là.

— Tu as aimé les préparatifs du matin ? Je t'ai observé de chez moi, précise-t-elle.

— Ah oui, j'ai vu ! C'était magnifique. De loin, j'avais l'impression d'un chaos général. Pourtant chaque geste, chaque mouvement était justifié, exécuté à la perfection avec un synchronisme impeccable. J'espère que je serai accepté comme cornac...

Sian prend un air soucieux.

— Ce n'est pas si simple, Bram. Les cornacs consacrent leur existence à ce travail. Leurs éléphants s'entraînent depuis des années à accomplir des tâches très particulières. Toi et Mo aurez beaucoup d'examens à passer. Ça peut prendre des années ! Tu comprends ?

— Mo est aussi musclée que les autres ! Elle est forte et intelligente. Elle connaît déjà beaucoup de mouvements !

Je cesse de parler en voyant déboucher en plein soleil un vieillard à la longue chevelure argentée. Très majestueux avec son ample chemise blanche en coton sans manches et son pagne blanc, il monte un éléphant géant.

— Sian, qui est cet homme ?

— Kalli Gooma, le chef des cornacs. Il est très vieux. Personne ne connaît exactement son âge. Tout le monde le respecte et sa parole a force de loi pour tous les cornacs.

Les avertissements de Sian sur la difficulté à devenir cornac ont redoublé mon ardeur et mes désirs de le devenir. Je me présente, bien décidé, à la maison du contremaître.

M. Singh prend le thé en compagnie de M. Ya. Après un échange de poignées de main, il m'invite à m'asseoir. Ses yeux brillent d'ironie.

— Eh bien, mon garçon, Ya m'a dit que tu voulais travailler pour Teak Ltd en tant que cornac ? C'est très ambitieux et c'est bien sûr impossible, étant donné que tu n'as aucune expérience. Toutefois, puisque tu cherches du travail et que je te trouve sympathique, je te propose un emploi aux cuisines. Tu seras autorisé à aider l'équipe qui s'occupe des éléphants pendant ton temps libre. Ainsi, tu pourras apprendre le métier. En attendant, ton éléphant rejoindra les autres et sera pris en main par une personne plus expérimentée.

Singh porte la tasse de thé à ses lèvres et se prépare à déguster la boisson.

— Puis-je vous dire quelque chose, monsieur ?

Singh déglutit et me regarde, la tasse suspendue en l'air.

— Très bien, mais sois bref.

— J'ai fait un long voyage pour venir jusqu'ici. J'ai une certaine expérience des exercices dont vous parlez. J'ai travaillé avec mon père dans un cirque en Allemagne. Il m'a appris à manœuvrer les éléphants. Je crois être qualifié pour devenir cornac. Donnez-moi un peu de temps, accordez-moi deux semaines, s'il vous plaît. Laissez-moi étudier la technique et tout ce qu'il faut savoir.

Personne ne lui a jamais adressé, certainement, pareille requête.

— J'ai dû mal entendre ! s'exclame-t-il.

Je ne me laisse pas démonter par sa réaction.

— Permettez-moi simplement d'observer. Et puis Kalli Gooma me jugera. S'il est d'accord, alors, m'engagerez-vous ?

Le contremaître avise Ya, qui hausse les sourcils, l'air circonspect.

— Très bien, fait Singh. Tu n'as pas la moindre chance, mais tu viens de très loin et ta requête est insolite. J'accepte de faire l'essai. Par contre, si tu échoues, tu seras affecté aux cuisines et ton éléphant sera confié à l'un de nos cornacs pour travailler dans la forêt. Nous sommes d'accord ?

Je suis certain de réussir, mais, en cas d'échec, Mo acceptera-t-elle de travailler avec un autre ?

— Oui. Très bien. Merci beaucoup, monsieur.

Singh me désigne la porte.

— Veux-tu avoir la gentillesse de me laisser déjeuner ?

J'enfourche Mo. Nous nous ruons vers l'étang, près de la cascade où j'ai rencontré Sian.

Elle est là, elle attend, elle paraît soucieuse de savoir si je vais rester au village. Elle porte un pagne de voile de coton blanc qui rehausse l'ocre de sa peau et le jais de sa chevelure soyeuse. Juché sur Mo, je hurle joyeusement :

— Sian ! Sian ! Il me donne une chance ! Il a dit qu'il était d'accord !

Je saute à terre et prends Sian dans mes bras. Elle sent ma fébrilité, mon impatience. Elle se met à trembler en fermant les yeux. Mes lèvres pressent les siennes.

Je ne trouve pas le sommeil. Je pense à ma mère, à Curpo. Je revois les moments enchanteurs passés avec Gertie autour du lac Cryer. Je me rappelle nos baisers et notre promesse de nous attendre l'un l'autre. J'ai rencontré Sian. Je ne peux être déloyal envers Gertie. Je dois lui rendre sa liberté. Je l'aime comme j'aime Sian. Mais Sian est près de moi. Je peux la toucher, la serrer dans mes bras.

J'ai sacrifié ma famille, la fille que j'aime, tout pour Mo. Aussi affectueuse, aussi merveilleuse soit-elle, une éléphante vaut-elle que je lui consacre ma vie au détriment de ma famille ? Je dois faire savoir à ma mère que je suis en vie et en bonne santé. Il est injuste et cruel de faire souffrir ceux qui m'aiment. Ce doit être horrible pour elle de ne pas savoir si je suis vivant ou mort. L'incertitude doit être plus difficile à supporter que l'annonce de ma mort elle-même. En refusant d'abandonner Mo, j'ai fait un choix. Si quelqu'un doit en souffrir, c'est moi et moi seul.

Jack North est riche et déterminé. Il a dû engager beaucoup de gens pour me traquer. Si j'apprends qu'il se rapproche, je dois être prêt à partir à tout instant. Quitter l'exploitation, quitter Sian, tout quitter encore une fois. Je vais écrire à ma mère sans lui dire où je me trouve exactement, et faire expédier la lettre le plus loin possible du village. Je sais que Jack North n'abandonnera jamais.

Je suis un voleur. Que cela me plaise ou non, j'ai pris le bien d'un autre, et cela me choque. D'une façon puérile, j'en veux à mon père de m'avoir placé devant un dilemme. Comment a-t-il pu me demander de m'occuper de Mo tout en sachant qu'elle ne m'appartenait pas ? Il s'est contenté de me dire : « Tu trouveras la solution. » Je ne l'ai pas trouvée. Depuis, je me cache, je me terre, je suis un voleur et un fugitif.

Dans la lettre à ma mère et à Curpo, je raconte le naufrage du *Ghanjee*, l'éléphantérium, l'attaque des brigands. Je leur confie ma crainte des poursuites de Jack North. Surtout, je leur demande de comprendre mon silence et de me pardonner.

La seconde lettre est destinée à Gertie.

Mon futur était tout tracé… La ferme, toi, ma famille et mes amis. Mais ici, par la force des choses, j'ai commencé une nouvelle vie. Comme je ne sais pas de quoi demain sera fait, il vaut mieux que nous nous séparions. Je n'ai aucune certitude, je me demande sans cesse quand et où North surgira. Quant à revenir en Allemagne, je ne m'avise même pas y penser.

Enfin, j'ose aborder l'existence de Sian. Je lui parle de notre rencontre, de sa compréhension et de sa gentillesse. Je lui confesse ma souffrance de les aimer toutes les deux.

Je lâche mon stylo. Jamais je ne me suis senti aussi égoïste. Je ne rendrai jamais Mo à North et je ne rentrerai jamais en Allemagne. Ce qui signifie que je ne reverrai jamais Gertie. Je reprends la rédaction de la lettre.

Tu es trop jolie fille pour attendre passivement quelque chose qui n'arrivera pas. Tu dois donc penser à bâtir ta vie sans moi. Je t'aimerai toujours, Gertie, tu ne sortiras jamais de mon cœur ni de mes pensées. Je le dirai à Sian comme je te le dis et je sais qu'elle comprendra comme j'espère que tu me comprends maintenant. Porte-toi bien, mon amour, peut-être nous reverrons-nous si Dieu le veut. Pour l'instant, envoyons-nous des ondes de bonheur l'un à l'autre.

Je t'aime,
Bram

En regardant le coursier partir, toute la tension que j'ai trop longtemps supportée s'en va avec lui. Je me sens libéré. Je peux me donner entièrement à Sian et à notre amour. J'ai tellement à apprendre sur les émotions et les sentiments.

Sian ne vient plus à l'étang. La rumeur qui condamne notre idylle finit par arriver jusqu'à mes oreilles. Son père m'aborde.

— Bram, je dois te parler franchement. Toi et Sian, vous ne pouvez plus vous voir. Votre amour n'a pas d'avenir. Tu n'es pas de notre peuple, tu n'as pas la même religion que nous. Tu ne pourras jamais te marier avec elle.

Nous sommes au bord de la rivière, près d'un figuier géant. Je suis pris de vertige et je dois m'appuyer contre l'arbre pour ne pas tomber.

— Nous nous aimons. L'amour est plus fort que tout. Nous ne pouvons pas nous séparer. Si vous me chassez du village, elle me suivra !

La voix de Ya se brise.

— Sais-tu ce qui lui arriverait ? Elle serait une paria. Elle ne pourrait jamais revoir sa famille. Elle serait considérée comme une putain. J'ai de l'affection pour toi, Bram, mais il n'y a pas d'autre solution. Vous devez vous séparer.

Il s'éloigne. Je reste seul pendant des heures contre le grand figuier. Ne plus vivre avec Sian me paraît aussi impensable que de me séparer de Mo.

Le lendemain, j'entame les exercices pour devenir cornac. Je suis déprimé. Je pense à Sian et à notre amour interdit. Je travaille mal. Je reproche à Mo mes propres erreurs de dressage. Si je ne me reprends pas, je vais tout perdre : Sian et la chance de devenir cornac.

J'emmène Mo à la rivière. Je la frotte et la récure avec ardeur pour étourdir ma douleur. Plongé dans l'activité, je crois entendre une voix me dire : « Il vaut mieux accepter de l'aide que de la refuser et de souffrir par orgueil ! »

J'ai beau diriger les yeux dans toutes les directions, je ne vois personne. Je n'ai pourtant pas rêvé ! Je ne deviens pas fou ? J'ai bien entendu quelqu'un me parler ! Je suis presque sûr qu'il s'agissait du vieux cornac, Kalli Gooma.

Je regagne le village, l'esprit tourmenté : quelle est cette aide que je refuse ?

Le soir, après le travail, la plupart des cornacs et leurs assistants se rassemblent sur la place centrale du village pour discuter. Je m'approche d'eux. Les regards sont fuyants. Les conversations s'éteignent sur mon passage. Je m'assois avec les anciens du village et leur montre le talisman offert par le maharadjah.

Le bijou passe de main en main. Les vieux Indiens reconnaissent les armoiries et lisent mon nom gravé dessous. À présent, ils me regardent autrement. Ils s'interpellent entre eux. Les cornacs se joignent à nous. Ya est appelé, ainsi que le contremaître. C'est un grand événement. Les anciens décrètent que, si le maharadjah me considère comme son protégé, le père de Sian peut, et c'est même un grand honneur pour lui, m'accueillir au sein de sa famille. En quelques minutes les commentaires ont radicalement changé. Je cherche dans la foule Kalli Gooma, le vieux cornac qui m'a soufflé ce que je devais faire. Il reste invisible.

Le lendemain, je reprends l'entraînement avec un enthousiasme neuf, mais je n'ai plus que quinze jours devant moi.

Il n'est pas tombé de pluie depuis un mois. Le niveau de l'eau a baissé dans la rivière, le débit est faible et il n'y a pas de remous. Des poissons émergent à la surface. Ils ouvrent la gueule et replongent vers le fond.

Mo cingle l'eau de sa trompe pendant que je la brosse et la récure à fond. Je polis ses ongles, nettoie ses yeux. Mes doigts caressent la peau veloutée derrière l'oreille. Je lui dis tout bas :

— T'en fais pas. Si on n'obtient pas ce travail, on trouvera autre chose.

Je me hisse sur son dos.

— En avant.

L'heure de la grande épreuve a sonné.

L'enceinte où se déroule l'examen mesure soixante mètres sur trente. Elle est divisée en deux zones dans le sens de la longueur.

La première est réservée à la traction. On a disposé des rouleaux de cordes, six lourds tronçons de teck, un harnais de travail, des étriers de serrage, des pics, des burettes d'huile. La seconde partie est réservée à la poussée. J'aperçois trois chariots de différentes tailles chargés de billes de teck, une rampe de déchargement et de nombreuses cales pour éviter que les chariots ne se renversent. Dans une petite zone médiane, je découvre des râpes, des tondeuses, des instruments destinés aux soins médicaux. Je dois aussi prouver mes compétences en ce domaine.

Seuls les cornacs sont autorisés à assister à l'examen. Ils sont tous là, une cinquantaine, installés sur des gradins. Le temps est humide. J'ai le front ruisselant de sueur.

Kalli Gooma envoie un signe ; un homme commence à battre le rythme sur un tambour. Chaque exercice doit être terminé avant l'arrêt du tambour.

L'épreuve de la traction commence. Je serre les harnais et je dispose les chaînes de traction. J'approche Mo du tronçon de teck ; j'évalue la distance des chaînes au tronçon ; j'aligne les chaînes ; je les mets en tension. Une fois celles-ci solidement attachées, je resserre la corde autour du tronçon et jauge le poids. J'ordonne à Mo de tracter lentement. Le tronçon bouge, l'éléphant porte l'essentiel de son effort sur le poitrail et les muscles des pattes de devant. Je creuse la terre sous ses pattes pour que Mo ait un meilleur appui. Elle tracte dur. Son poitrail frôle la terre.

Vient ensuite la deuxième série d'épreuves. Mo pousse vers le haut de la rampe un chariot qui contient six lourds tronçons. Au fur et à mesure de sa progression, je jette des cales en bois devant ses pattes, qu'elle place elle-même sous les roues du chariot pour empêcher ce dernier de glisser. L'épreuve est redoutable. Mo cale les roues trois fois avant d'atteindre le sommet de la rampe de déchargement. Soudain, une roue arrière se brise ! Le chargement pèse plus de cinq cents kilos. Le chariot menace de dégringoler ! Les tronçons sont assez lourds pour assommer Mo et lui briser les pattes. Un grand silence se fait. Tous les cornacs sont debout. On n'entend plus que le frappement continu du tambour. Sur l'estrade d'honneur en rotin, Kalli Gooma a l'air soucieux.

Mo appuie les défenses et la trompe contre le chariot et le redresse pour le maintenir en équilibre. Je lui jette une cale. Seulement, dans la position où elle se trouve, elle ne peut pas la voir. Allongé à plat ventre sur son dos, je lui dis comment toucher la cale avec la patte et comment la glisser. Les oreilles de Mo battent doucement. Elle m'écoute attentivement, devine ce que j'attends d'elle. Peu à peu, elle place la cale. Un soupir étonné parcourt l'assistance. Je saute sur le chariot et j'ordonne à Mo de relever le côté affaissé de la voiture. Elle enfonce les défenses sous l'essieu, baisse la tête, pousse le chargement jusqu'en haut du plan incliné tout en maintenant le chariot en équilibre avec la trompe. C'est prodigieux. Les cornacs applaudissent. Les battements du tambour s'arrêtent. Nous avons terminé l'épreuve dans le temps imparti.

Debout à côté de Mo, je m'incline devant Kalli Gooma. J'espère que le vieux cornac aura été satisfait de mon travail.

Mo se jette dans l'eau fraîche et se laisse flotter au milieu du courant pour se détendre complètement. Assis sur la rive, je la regarde. Je suis fier d'elle.

Kalli Gooma rend son jugement : l'éléphant a remporté l'épreuve. Mais le garçon devra suivre un mois d'apprentissage auprès de lui avant d'être définitivement admis.

Les villageois sont surpris : on ne juge pas un éléphant, on juge un apprenti cornac. Je ne dis rien. Le vieux Kalli Gooma a compris que Mo est capable de raisonner par elle-même, entend aussi bien la voix de la nature que la mienne. Elle réalise sa part de travail de manière autonome. Pendant les épreuves, elle a été meilleure que son cornac débutant. En comparaison, Mo est plus intelligente, plus douée, plus étonnante que moi. Je l'ai toujours su. À la ferme, c'était déjà comme ça ! Elle m'a toujours dépassé en poids, en volume, en courage, en intuition, en sagesse.

Je cours rejoindre Sian au bord de l'étang. Le soleil s'est couché. La pleine lune dépasse le bord de la falaise. J'embrasse Sian et l'enlace tellement je suis heureux. Elle se laisse emporter. De l'index, je dessine le tour de ses yeux en amande, j'effleure ses paupières, j'essuie les larmes de joie qui étoilent ses joues de raies luisantes. Elle promène sa main sur ma poitrine, sur les coins de ma bouche, mais ses doigts ne se risquent jamais plus loin. L'autre jour, au cours d'un jeu, roulant l'un sur l'autre, elle a senti mon érection. Choquée, elle s'est arrachée à mon étreinte.

Le lendemain, je vais trouver Kalli Gooma. Le vieux cornac observe les rondins de teck dévaler la pente et plonger dans la rivière. Emportés à vive allure par le courant, les bois s'entrechoquent sur le parcours sinueux en créant des remous avant de disparaître vers le fond de la vallée.

Kalli Gooma tresse une lourde corde qui sert à attacher les troncs d'arbres. Nous restons silencieux un long moment, puis il me dit :

— Toi, tu as vu l'éléphant blanc.

Il n'attend pas ma réponse. D'ailleurs, ce n'est pas une question, c'est une affirmation. Kalli Gooma poursuit :

— Quand j'étais très jeune, moi aussi j'ai travaillé à l'éléphantérium du maharadjah. J'ai appris l'essentiel de ce qu'il faut savoir. J'ai appris comment aimer, jouir de la vie et dresser des éléphants. Tout ce savoir m'a permis d'affiner mon aptitude à apprendre et à enseigner. Un bon professeur enseigne ce qu'on lui a enseigné. Un professeur vraiment sage enseigne ce qu'il a appris par lui-même.

Il se lève.

— Il existe deux régions dans la forêt que tu ne connais pas. L'une représente la vie, l'autre la mort. Les gardiens de ces régions ont des visages complètement opposés. Suis-moi !

Kalli Gooma me conduit sur une piste très large, très bien entretenue, qui s'achève dans une clairière. Des rires d'enfants sortent d'une multitude de petites cabanes placées en demi-cercle. À une dizaine de mètres se dresse un éléphant mâle de très haute taille, debout sous un dais immense.

— Il s'appelle Bandolla, dit Kalli Gooma.

— Il semble en parfaite santé, dis-je. Pourquoi est-il relégué au cœur de la forêt, à l'écart du village ?

— Bandolla est notre mâle reproducteur. C'est le plus grand et le plus méchant de tous nos éléphants. Il monte nos femelles. Il est très dangereux et tue sans hésitation. Ceux qui se sont laissé duper par son apparence placide ont été écrasés.

Contrairement aux autres éléphants du village, Bandolla a les quatre pattes entravées. Les cordes sont nouées à des pieux profondément enfoncés dans le sol. Il n'a pas beaucoup de mou pour bouger. Ses pattes arrière ressemblent à des tuyaux aussi larges en haut qu'en bas. Les pattes de devant sont plus lourdes, plus vigoureuses, avec des articulations plus prononcées, elles s'évasent vers le bas et s'achèvent par des sortes de galettes plates.

— Il paraît doux, affectueux, n'est-ce pas ? C'est précisément quand il prend cet air bonasse qu'il a envie d'expédier son monde au cimetière, affirme Kalli Gooma.

Le tueur reproducteur est debout sur une épaisse couche de fourrage. L'auvent recouvert de palmes qui le protège du soleil mesure six mètres de large et huit mètres de profondeur. Bandolla étire sa trompe pour attraper une mangue tombée d'un arbre. Je comprends pourquoi son abri est si grand. Son allonge est prodigieuse. Si jamais il arrivait à saisir un des poteaux avec la trompe, il serait capable d'arracher toute la structure. Ses défenses ressemblent à des sabres de deux mètres cinquante de long. Elles présentent une patine riche et luisante sans tache, ni marque ni éraflure d'aucune sorte. La plupart du temps, Bandolla est enfermé dans un enclos entouré de hautes palissades.

Les habitants des cabanes en bambou que j'ai entendus chanter en arrivant sont tous des enfants. Ils ont entre huit et douze ans. La peau brune, de grands yeux noirs perçants, les dents blanches, entièrement nus, ils sont tous très beaux.

— Je n'ai jamais vu ces enfants au village !

— Ils ne sont pas autorisés à jouer avec les autres enfants, me répond Kalli Gooma.

— Ils sont malades ?

— Ils sont bénis.

Lorsqu'un éléphant mâle a un patrimoine génétique exceptionnel et qu'on le garde comme étalon, une coutume vieille de plusieurs siècles veut que ce soient des enfants qui s'en occupent. Beaucoup trop d'hommes sont morts par la faute de ces mâles retors. Les enfants sont plus difficiles à saisir. En général...

— J'en ai vu écrasés, les membres arrachés, jetés en l'air comme des brindilles éparpillées au vent, me dit Kalli Gooma. Derrière l'enclos, tu découvriras un cimetière plein de petites tombes. Les enfants y vont chaque dimanche pour se rappeler qu'ils doivent se méfier de Bandolla.

Tous ces garçons ont été ramassés dans les rues de Calcutta. Ils n'ont pas de famille. Dans la mégapole, ils volent, se font violer, se prostituent ; parfois ils deviennent des tueurs. Ici, ils mangent à leur faim, habitent une maison décente, vivent dans un environnement naturel. Devenus grands, ils travaillent au village comme hommes de peine ou assistants de cornacs.

Kalli Gooma me montre deux grandes cuves de trois mètres de diamètre. L'une est emplie d'une substance mielleuse et huileuse qui sent l'eucalyptus. Bandolla en déteste autant le goût que l'odeur. La seconde est pleine d'un liquide savonneux qui embaume le gingembre.

Un enfant touille le contenu de la première cuve avec une louche d'un mètre de long puis s'en enduit le corps. Les autres attendent, puis, à leur tour, sautent dans la cuve. Ensuite, ils s'aident mutuellement à se badigeonner le dos, les fesses, les jambes.

— Maintenant, ça va commencer ! prévient Kalli Gooma.

Une femelle de grande taille du nom de Seria remonte la piste. Son cornac maintient le crochet à la hauteur du genou avant pour l'empêcher d'avancer trop vite. L'éléphante porte un grand et lourd tablier qui lui recouvre tout l'arrière-train.

— Bandolla peut donner des coups de défenses, m'explique le maître cornac. Le tablier l'empêche de blesser trop gravement la femelle.

Deux enfants jettent des seaux d'eau sur la croupe de Seria et la récurent avec des balais-brosses.

Impatient, Bandolla pousse des barrissements tellement forts qu'on doit l'entendre à des kilomètres. Il tire de toutes ses forces sur les cordes, essayant de les arracher avec sa trompe. Le sol vibre. Bandolla éparpille son fourrage en tous sens et cingle l'air avec de grands mouvements de trompe désordonnés. Il paraît incontrôlable.

Le corps huilé, les pieds chaussés de feuilles rugueuses qui les empêchent de déraper, les enfants s'approchent du mâle. À leur vue, Bandolla balance violemment son corps comme un boxeur avant le début de la rencontre. Les petits servants se déplacent vite et avec précision. Ils changent les cordes qui entravent ses pattes. Bandolla rue follement en essayant d'écraser ces gamins frêles et malodorants. Pour le distraire, certains lui lancent du foin. Sa trompe frémit d'impatience. À plusieurs reprises, elle frôle l'épaule d'un garçon.

Le pénis en érection de Bandolla me captive. Il doit mesurer deux mètres et peser dix à quinze kilos. Il se balance et se tortille, faisant penser à un serpent qui cherche l'entrée de son repaire.

Le cornac ordonne à ses petits assistants de tourner la croupe de Seria vers Bandolla. Les enfants se tiennent prêts à desserrer les deux cordes qui retiennent ses pattes de devant.

— Le moment le plus dangereux arrive, me dit Kalli Gooma.

Le cornac fait reculer Seria. Bandolla peut maintenant l'atteindre avec sa trompe. Il appuie ses défenses contre le dos de la femelle en tirant furieusement sur les cordes qui lui entravent toujours les pattes. Frustré d'être retenu dans son élan, il éperonne Seria, qui barrit de douleur.

Le cornac envoie le signal. Les enfants dénouent les cordes sans quitter des yeux la trompe du tueur. Ils surveillent aussi le mouvement des pattes qu'ils viennent de désentraver.

Libéré, Bandolla enfourche en ahanant la croupe de Seria. Ses longues défenses encadrent la tête de la femelle. Le pénis trouve la vulve. Les yeux injectés de sang, Bandolla rugit de désir. Il tend sa trompe au-dessus du crâne de sa partenaire. Seria répond à son appel. Au moment où les extrémités des trompes se touchent, Bandolla éjacule.

Il se retire. Les gamins s'empressent de resserrer les cordes. Bandolla envoie quelques mouvements de trompe pour les attraper, mais le cœur n'y est plus. Il est exténué.

La scène a été brève. Les enfants courent vers les cuves et se glissent à l'intérieur. Peu à peu, la tension s'apaise. Les rires refleurissent. La bête féroce, enchaînée, est reconduite dans son enclos prison.

Kalli Gooma descend le sentier. Il me lance :

— Bram, tu seras sans doute un bon cornac !

Des cris de colère éclatent dans les rues du village. Ils vont de la rivière à la place centrale. Une délégation de cornacs escorte en force l'un d'entre eux, Kim, vers la maison du contremaître. Que se passe-t-il ? Kim a été surpris en train de violer Serina, la fille de Jol Young. Singh demande au jeune homme si l'accusation portée contre lui est exacte. Kim reconnaît son crime. Le contremaître annonce qu'il sera jugé par les anciens et maintenu en prison jusqu'au jour de la sentence. La foule se disperse.

Dans la journée, un nouvel attroupement se forme ; Serina, accablée de honte, vient de se donner la mort.

Le soir, un cierge brûle dans chaque maison.

Le lendemain, les éléphants ne partent pas au travail. Les habitants se rassemblent autour de l'« arbre des rumeurs », un grand teck dressé sur la place centrale. La condamnation à mort de Kim y est placardée. L'exécution aura lieu dans le courant de la semaine.

Je demande à Sian ce qui pourrait sauver Kim. Rien, me répond-elle. C'est la loi. Tout le monde s'attendait à ce verdict.

Il m'est tout aussi difficile d'admettre le crime de Kim que l'implacabilité de la sentence qu'il reçoit en réponse. Dans les maisons, les femmes préparent les vêtements de deuil. J'ai peine à croire que le malheur puisse s'abattre dans un endroit pareil. Je ne suis pas au bout de mes épreuves : Kalli Gooma me demande de l'accompagner. Je sais qu'il est chargé d'organiser l'exécution.

Le vieux cornac m'entraîne en pleine forêt vers le sommet d'une falaise escarpée. Un torrent d'eau de source pure et glacée ruisselle au milieu du chemin. Après avoir dépassé des rochers, nous débouchons sur une sorte d'amphithéâtre naturel. Là les eaux qui jaillissent des torrents se rejoignent dans un méandre agité de violents remous.

— Nous sommes arrivés au Passage, annonce Kalli Gooma.

Le vieux sage m'explique que les torrents symbolisent le yin et le yang, les contraires nécessaires l'un à l'autre.

Un escarpement rocheux s'avance à flanc de coteau, qui mesure environ six mètres de haut sur quatre mètres cinquante de large et dix mètres de long. On dirait une roche volcanique vomie par la montagne.

Les marches d'un escalier de pierre nous amènent sur la plate-forme. Au bord, j'aperçois une souche impeccablement polie. Je fais courir mes doigts dans les creux de deux empreintes sculptées. De longues heures de travail ont dû être nécessaires pour obtenir une patine aussi parfaite. Je retire vivement ma main, saisi par un trouble violent qui monte des tripes.

Dans l'air flotte une forte odeur de fauve. Une grande femelle éléphant, le dos couvert d'une large étoffe violette, entre dans la clairière. Elle porte un masque percé de deux fentes au niveau des yeux.

La patte avant gauche est garnie d'amulettes qui symbolisent le bonheur et la prospérité, me souffle Kalli Gooma. La patte droite porte un anneau de cuivre incrusté d'éclats d'onyx noir qui représentent les démons.

L'éléphante s'appelle Keesha. Son cornac, vêtu d'un sarong noir, porte un crochet en or. Il s'incline devant Kalli Gooma puis ordonne à Keesha de se placer devant la souche.

— La cérémonie va commencer, m'avertit le vieux cornac.

Je perçois le frappement, sec, aigu, lancinant d'un tambour qui approche. Des villageois se dirigent vers nous en procession. Marchant en tête, je reconnais Singh, le contremaître, suivi de Ya et des anciens. Derrière eux, j'aperçois

Kim, soutenu par deux hommes. Il ne cesse de trébucher. Sa famille et ses collègues cornacs terminent le cortège.

— L'exécution a toujours lieu le matin, me dit Kalli Gooma. La nuit, le condamné serait incapable de trouver son chemin vers l'autre monde. On lui a fait boire une potion qui endort le corps mais pas l'esprit. De cette façon, les hommes qui l'escortent le contrôlent aisément, mais il reste conscient de ce qui lui arrive. Il est important qu'il sache...

Je ne vois pas de femmes. La tradition veut qu'elles n'assistent jamais à une mise à mort.

Les participants prennent place sur l'aire de cérémonie. Kim est encadré sur sa droite par son père et sur sa gauche par Singh.

Relevant la tête, il découvre Keesha, postée devant lui. Ses genoux se dérobent. Il perd connaissance.

Son père le relève. J'ai la gorge serrée. Kalli Gooma passe sur le visage du condamné un masque de cuir épais et pointu au sommet. Ce masque s'effile devant et derrière de telle sorte que j'ai l'impression que la tête est aplatie. Les boucles de métal qui pendent de chaque côté permettront d'assujettir solidement le masque à la souche.

Le cou du supplicié est enveloppé dans un fichu de grosse toile suffisamment lâche pour ne pas entraver la respiration. J'observe le comportement digne du père de Kim. J'admire son courage et, spontanément, je partage sa douleur.

La plainte aiguë des percussionnistes bascule dans le grave. Deux hommes emportent le condamné vers la souche. Le père chuchote quelques mots à l'oreille de son fils à travers le masque. Quels mots ? Les a-t-il entendus ? Les servants lient les mains et les pieds du supplicié.

Kim est allongé, la tête appuyée dans la cavité droite de la souche. Il ne peut plus bouger. D'un geste, Kalli Gooma ordonne au cornac de faire avancer Keesha. Elle pose la patte avant gauche sur l'empreinte appropriée creusée dans la souche. Obéissant à Kalli Gooma, les servants lâchent le condamné. Un horrible cri d'angoisse sort de sa gorge. Keesha lève la patte avant droite et l'abat sur la tête de Kim. La terre vibre. Le corps du supplicié est parcouru d'un violent tremblement. C'est fini. Kalli Gooma est satisfait : « Justice est faite et bien faite ! » dit-il.

La période de deuil après la mort de Serina terminée, un nouvel événement est annoncé par des guirlandes de fleurs accrochées sur l'arbre des rumeurs : Sian et moi allons nous marier !

Il devenait indécent d'attendre plus longtemps. Tous les soirs, après le travail en forêt, je prends une douche dans un cabanon. Le système est simple : un seau, rempli d'eau, est suspendu au-dessus de la tête, on le renverse en tirant sur une corde. Plutôt que d'user l'eau, il faut apprendre à se savonner à sec et à se frotter à fond avec une feuille d'eucalyptus. Ce n'est pas évident. Je m'applique à me frotter quand je sens une main qui me caresse le dos. Je me retourne, c'est Sian ! Son visage est fendu d'un grand sourire. Elle me brosse les épaules, le torse, en souriant, puis laisse descendre son regard avec effronterie. En réaction, j'empoigne la corde et tire d'un coup sec : un déluge d'eau s'abat sur nous. Sian éclate de rire. Son sarong détrempé moule son corps. Mon sexe se dresse. Il devient urgent de nous marier.

Des bouquets de fleurs garnis de mangues fraîches, de noix de coco, de baies et de papayes ornent les maisons, les allées, les arbres et même les baraquements des éléphants. Pour la cérémonie, je passe un élégant sarong blanc avec une chemise turquoise.

Dix cornacs me conduisent au temple. Ils ont revêtu leurs plus belles kurtas. Ils sont joyeux car ils ont bu des cocktails au lait de coco chez les parents de la mariée. Nous formons une petite meute de garçons agités qui attendons au pied de l'édifice.

Ils arrivent ! Ya marche en tête, les frères derrière, puis les femmes en sari. La jeune mariée porte une robe de soie orange et blanc dont la coupe rehausse son petit corps aux formes pleines. Ses longs cheveux aussi légers que la brise encadrent son beau visage mat et ses grands yeux noirs obliques. Elle a noué autour du cou un foulard rouge brodé de perles. Elle est dans tout l'éclat de sa beauté adolescente.

C'est un mariage simple, un mariage d'amour. Chaque alliance se compose de deux anneaux entrecroisés, l'un d'or, l'autre d'argent. Notre amour inclut les montagnes, les forêts, les torrents glacés, les grands tecks, les éléphants et le fil d'or qui relie toutes ces merveilles.

À la sortie du temple, les villageois vibrent de joie et d'excitation en nous voyant Sian et moi sortir main dans la main. Nous franchissons la haie d'honneur formée par des éléphants couverts de fleurs. Au bout de la file, Mo attend. Elle nous emmène au bord de l'étang où nous nous sommes rencontrés la première fois.

Les enfants nous poursuivent en lançant des fleurs et des feuilles. Bientôt, ils n'aperçoivent plus que la croupe de l'éléphante, et sa queue qui oscille de droite à gauche en éparpillant sur le chemin les roses et les œillets.

La guerre

Alors qu'il est occupé à superviser le travail dans la zone qui vient d'être déboisée, M. Singh, le contremaître, est appelé en urgence par un assistant. Il accourt vers le bâtiment de l'administration, où il prend connaissance du message que viennent de lui adresser les autorités militaires : *Le capitaine rajah Mohinder arrive avec son escorte pour rencontrer M. Singh.*

Une rébellion contre le pouvoir a éclaté. Des affrontements entre les insurgés et l'armée régulière ont eu lieu à soixante-quinze kilomètres du village. Des petits groupes d'hommes armés occupent différentes zones sur un vaste périmètre. L'état d'alerte a été promulgué dans toute la région.

Seulement, personne n'a jamais vu un homme en armes rôder aux alentours de l'exploitation. Tout le monde ici s'occupe des éléphants et du travail en forêt. La société appartient à des hommes d'affaires puissants. Il y a des comptes à rendre. Des résultats à obtenir. Accaparé par mon amour pour Sian et par mon nouveau métier, ne me connaissant d'ennemi que Jack North et de passion que pour Mo, l'existence d'enjeux financiers et de graves conflits politiques ne m'a jamais effleuré l'esprit. Je vis dans le présent. L'avenir s'appelle Sian et le nombre d'enfants que nous allons mettre au monde.

Pourtant, chaque semaine, le conseil du village se réunit. Un cordon de sécurité a été mis en place. Des sentinelles sont disposées à intervalles réguliers sur la route qui mène à la ville la plus proche. Les hommes se relèvent toutes les cinq heures et gardent le poste jour et nuit. Un système de radiocommunication, prêté par les autorités, avec des relais tous les deux kilomètres, a été installé pour transmettre les messages et donner l'alerte. Mais il ne s'est jamais rien passé.

À la tombée du soir, une jeep, chargée d'hommes en uniforme, entre en trombe dans le village et freine brutalement sur la place centrale. Le capitaine rajah Mohinder et trois soldats armés de fusils descendent du véhicule. Ils se dirigent, le pas martial, vers le bureau de M. Singh.

Le contremaître les reçoit dans le salon.

— J'ai une excellente nouvelle, annonce le capitaine, il n'y a plus d'attaques de la guérilla. La rébellion a été étouffée. Nous avons reçu l'ordre de démonter le système de radiocommunication, qui ne présente plus aujourd'hui aucune utilité.

M. Singh ne dissimule pas son soulagement. La nécessité de mobiliser des hommes pour tenir le cordon de sécurité ralentissait sérieusement le travail de l'exploitation.

— Monsieur Singh, ajoute le capitaine, nous pensions arriver chez vous plus tôt, et je constate qu'il est déjà tard. Serait-il possible que mes hommes et moi-même passions la nuit ici ? Nous partirons demain à l'aube.

Le contremaître donne des instructions à un assistant.

— Veillez à ce que le capitaine Mohinder et ses hommes aient un repas et disposent de bons lits pour la nuit.

Les soldats remercient et suivent l'assistant. Pendant ce temps, le contremaître ordonne par radio aux hommes postés sur la route de rentrer au village. Puis il éteint le combiné radiotéléphone et gagne son logement, le sourire aux lèvres.

La nuit, je suis alerté par un bruit, juste devant la porte de ma cabane en bambou. J'écoute attentivement, mais je n'entends plus rien. Je me serre contre le corps tiède de Sian, qui dort profondément. Un nouveau bruit me fait dresser l'oreille. C'est comme un frôlement. Cette fois, je me lève.

Je pense qu'il doit s'agir d'un animal qui traîne autour des baraquements. Muni d'un crochet, j'ouvre doucement la porte. Le canon d'un fusil s'écrase contre ma poitrine. J'entends sauter le cran de sûreté et une voix qui me souffle :

— Rentre à l'intérieur !

Je recule, poussé par l'homme au fusil. Deux comparses pénètrent à sa suite dans le logement. L'un d'eux frotte une allumette, allume une bougie. Je reconnais alors le visage du capitaine Mohinder.

— Qu'est-ce... ?

— Silence ! Pas un mot ! crache-t-il.

Mohinder semble guetter un bruit. Puis son attention se concentre sur Sian. À cause du temps humide, nous dormons nus. Les draps du lit rabattus, on voit distinctement la poitrine ronde et ferme de Sian, son ventre étroit et ses jambes fines. D'un bond, je me place entre le lit et Mohinder.

— Assis ! Assis ! Assis ! fait un soldat en enfonçant le canon du fusil dans mon oreille.

Il m'assène un coup de crosse sur l'épaule. Je gémis de douleur. Il frappe à nouveau. Cette fois, je m'écroule.

Mohinder empoigne Sian et la force à se lever. Nue, elle tremble de peur et de honte. Les militaires la détaillent avec un plaisir obscène. Sian ferme les yeux. La barbe touffue du capitaine Mohinder se fend d'un large sourire qui révèle une rangée de dents de lapin.

— Elle est mignonne, la petite poule ! fait-il.

Il la saisit par un bras et l'attire contre lui. Sa barbe hirsute se frotte contre l'épaule de Sian. J'interviens. Le capitaine se jette sur moi, me tord le poignet et me crache au visage :

— Écoute, petit merdeux. Joue à l'homme tant que tu veux avec la petite poule, mais pas avec moi ! Pigé ?

Il me projette en arrière. Je suis à nouveau frappé. En me relevant, je vois avec horreur les mains épaisses de Mohinder qui caressent les seins de Sian en s'amusant à les soupeser. Anticipant ma réaction, un soldat m'enfonce rudement la crosse du fusil dans les côtes. La main du soudard descend vers le ventre de Sian. Ses doigts de tueur effleurent le pubis.

Suffocant de rage, je hurle :

— Assez !

Le capitaine vient se poster devant moi.

— Le petit merdeux n'est pas content ? Mais le petit merdeux devrait être fier d'avoir une femme désirable ! Tu es chanceux, merdeux ! Très chanceux ! Si je n'avais pas besoin de toi, je t'aurais explosé la bite d'un coup de fusil, et tu m'aurais regardé faire à ta femme ce que tu ne pourrais plus jamais lui faire.

Je soutiens son regard et lui lance :

— Que voulez-vous de moi ?

— Tu es jeune, tu es intelligent, j'ai un travail pour toi.

— Un travail ?

— Avec les éléphants !

— Je ne comprends pas.

— J'ai annoncé à ce crétin de Singh que la guérilla était finie. Il m'a cru ! Quel abruti ! Nous sommes la guérilla ! Nous avons pris ces uniformes à des traînards de l'armée régulière. Nous allons investir le village, piller la nourriture, jouir de vos femmes. Et toi, tu vas te joindre à nous !

Au même moment, comme pour souligner ses paroles, des coups de feu éclatent. Le capitaine se précipite à la porte. Il s'exclame :

— Parfait ! Mes hommes sont arrivés !

Je comprends maintenant ce que Mohinder guettait tout à l'heure.

— Venez, vous deux ! ordonne-t-il.

Sian saisit un drap qu'elle noue autour du corps. J'enfile un pagne, nous sortons. C'est la panique générale. Les habitants jaillissent des maisons, bousculés à coups de crosse par les soldats. Des femmes crient, des rafales crépitent, des villageois s'écroulent dans les rues. Je ne sais si une balle les a atteints ou s'ils se sont laissés tomber à terre de panique. Le feu menace de ravager des baraquements.

Des véhicules militaires arrivent en un flot ininterrompu. Des soldats déchargent du matériel. Les mitrailleuses sont disposées aux endroits stratégiques. La population, placée sous contrôle, est rassemblée de force sous l'arbre des rumeurs. Ya a le visage en sang, il s'est battu, ainsi que le contremaître.

Mohinder s'adresse à la foule. La place est éclairée par quelques incendies et les phares des véhicules.

— Écoutez-moi tous ! Au nom du Parti de libération du peuple, nous prenons possession de cette exploitation. Les soldats ont reçu l'ordre de tirer si l'un de vous essayait de s'enfuir. Nous n'avons pas l'intention de rester. Nous sommes ici pour acheminer nos hommes et notre matériel vers le nord par le col de Dullirah.

Un murmure s'élève dans la foule : le col de Dullirah est infranchissable. Cela signifie que le groupe armé de Mohinder bat en retraite. Les soldats n'en sont que plus dangereux.

— L'armée impérialiste se dirige dans notre direction, reprend Mohinder. Si nous sommes obligés de l'affronter, ici, dans ce village, beaucoup de gens mourront. En revanche, si vous nous aidez à franchir la montagne, nous vous laisserons en vie. Soyez coopératifs et tout ira bien. Maintenant, rentrez dans vos baraques. Demain, il faudra travailler dur et vite pour atteindre notre objectif. Si vous sortez de vos cabanes pendant la nuit, vous serez abattus, hommes, femmes et enfants !

Nous rentrons dans notre baraquement. Sian se blottit dans mes bras. Je sursaute au moindre bruit. J'ai hâte de voir poindre le jour. Il me semble plus simple d'affronter l'adversaire en plein soleil.

À l'aube, Sian fait une crise de nerfs. Elle veut absolument aller se laver à la rivière pour se débarrasser de l'odeur de Mohinder. Je l'en dissuade, certain qu'il y a des soldats partout. Elle tremble de tous ses membres.

— Ce soudard ne nous a rien volé, Sian. Juste un peu de notre dignité. Nous nous sommes sentis humiliés, honteux, mais rien de plus. Tu entends ce que je dis, Sian, ma chérie ?

Elle secoue la tête. Elle n'est pas d'accord.

— Regarde-moi, Sian ! Regarde-moi !

Je lui prends doucement le menton et lui relève la tête. Ses yeux sont remplis de larmes. Son corps est secoué de frissons. Ses lèvres palpitent.

— Sian, il ne nous a rien volé !

— Je t'aime, Bram. Tu as raison, il ne nous a rien volé.

Je la serre fort contre moi. Nous restons enlacés. Je sens ses larmes couler sur mon épaule.

— Allons-y, maintenant. Il fait jour.

Dehors, toute l'activité semble se concentrer au bord de la rivière, où sont attachés les éléphants.

— Sian, je veux que tu retournes à la maison de ton père.

— Non, je serai seule, là-bas. Je préférerais mourir que laisser cet homme me toucher encore...

— Tu ne risques rien. Il va être trop occupé. Et je serai avec lui. Donc, je saurai à chaque instant où il est.

— Il te hait, Bram. Fais attention.

— Il a besoin de moi. C'est notre meilleure garantie.

Je l'embrasse et nous nous séparons.

Je marche vers le capitaine. Il crache des ordres sur tous ceux qui passent à sa portée. Je l'aborde avec franchise.

— Que désirez-vous que je fasse, capitaine ?

Il ricane en me toisant avec mépris.

— Tu soutiens notre cause, petit merdeux ? Tu te ranges du côté des hommes, des vrais. Ça va te changer, alors !

— Je ne vous soutiens pas. Je ne vous aide que pour protéger les gens de mon village.

— Foutaises ! Tu as peur que je touche à ta petite fleur ! J'ai pas raison, hein ?

— Vous avez raison.

Il pose les mains sur mes épaules.

— À la première incartade, je prends ta femme et tu tiens la chandelle. Maintenant, viens avec moi !

Nous nous dirigeons vers le baraquement des éléphants. Mohinder me charge de superviser le déroulement des opérations : monter une colonne, charger le matériel.

Je me mets tout de suite au travail. Je fais construire de robustes cadres en bambou épais qui serviront aux éléphants pour porter les charges. Je prévois des châssis spéciaux destinés au transport des mitrailleuses. Pour ne pas écorcher la peau des éléphants, je veille à ce que soient tissés des tapis de protection avec des lianes des marais. Par prudence, je demande aux cornacs d'emmener les éléphants dans une petite vallée et de faire tirer les mitrailleuses de façon que les animaux s'habituent au bruit des rafales. Deux jours seront nécessaires pour qu'ils s'accoutument au bruit des armes.

Pressé par le temps, Mohinder pousse les hommes au maximum de leurs capacités. Le soir, il s'enivre et dort à poings fermés. Pour me rassurer, je me dis que Sian ne sera pas inquiétée pendant la période des préparatifs. Je sais que si le soudard la viole elle se donnera la mort. Comme Serina après l'agression de Kim, et sans doute comme toutes les femmes du village qui subiront ce sort, et refuseront de vivre dans le déshonneur.

— Sian, la troupe part demain. Va vite te cacher près de l'étang, emporte deux jours de nourriture et ne te montre pas jusqu'au départ des soldats !

— Ils vont me chercher ! Ils me trouveront !

— Quand ils s'apercevront que tu as filé, il sera trop tard. Pars tout de suite, change de vêtements, mets des haillons ! Il y a tellement d'éléphants qui traversent le village avec des lianes, des poutres, du fourrage que personne ne va te remarquer.

Elle s'accroche à moi.

— Je veux partir avec toi ! Je ne veux pas rester toute seule !

Elle supplie. Elle murmure et pleure en même temps.

— Sian, écoute-moi. Mohinder va venir ici avant le départ. Je sais qu'il va le faire. S'il te trouve, j'essaierai de te sauver et nous serons maltraités tous les deux. Je dois partir avec lui, mais je reviendrai. (Je prends son beau visage dans mes mains.) Quand tu retourneras au village, les autres auront besoin de toi, ils auront besoin de ton aide. Sian, tu dois prendre soin de ta famille.

Je l'embrasse longuement sur les lèvres, les oreilles, le nez.

— Je reviendrai, Sian.

— Bram, fais attention à toi et reviens vite !

Je franchis le seuil de notre cabane et pars rejoindre Mohinder.

Trente-quatre éléphants sont prêts pour le départ. Les cornacs les gardent en ligne en leur parlant doucement. Des femmes sanglotent en faisant leurs adieux à leurs maris. Les enfants regardent tout avec des yeux effarés.

Chaque éléphant transporte six soldats avec leurs fusils. Huit éléphants sont réservés au transport des mitrailleuses. Je vérifie les sacs de nourriture accrochés aux palanquins. Il faut que tout soit prêt au plus vite pour éviter la confrontation avec l'armée régulière. J'entends Singh se plaindre que les soldats emmènent les meilleurs animaux. Ceux qui restent sont trop petits pour travailler le teck.

— Croyez-vous que nous en reverrons ? lui demande Ya.

Le regard que lui jette Singh lui fait comprendre qu'il ne doit pas se faire trop d'illusions.

Le capitaine Mohinder remonte le sentier. J'espère de toutes mes forces qu'il a oublié Sian. Lui emboîtant le pas, comme une ombre, j'essaie de lui distraire l'esprit.

— Vous vous rendez compte, capitaine, que les éléphants ne pourront jamais franchir le col ? Peut-être les hommes, mais pas les bêtes.

— Tu y as été ? demande Mohinder.

— Non.

— Alors tais-toi !

Il se dirige vers les cabanes. J'essaie de le retenir.

— Où allez-vous ?

— Tu le sais très bien. Je vais voir ta femme.

Je me plaque contre lui.

— Je ne vous laisserai pas faire !

Il me saisit l'oreille.

— Dégage, merdeux, ou je t'abats comme un chien ! Mais tu peux regarder, si tu veux. À ton âge, on a besoin d'apprendre.

Nous arrivons à la cabane. Le logement est vide. Dieu merci, Sian m'a écouté ! Mohinder se jette sur moi.

— Où est-elle, sale con ?

— Je sais pas ! J'ai passé la journée avec vous. Elle doit pas être bien loin.

— Elle doit pas être bien loin, hein ? Tu te fous de ma gueule ?

Je sens que c'est maintenant. Si je dois être abattu, c'est maintenant. Mohinder m'attrape le bras, me tire brutalement de côté. Il apostrophe un soldat.

— Trouve-moi la petite poule qui crèche ici ! Allez-y à plusieurs ! Il me la faut !

Les cornacs attendent, allongés sous les arbres. Les éléphants jouent avec des brins d'herbe ou taquinent la queue de leur voisin. La chaleur monte rapidement. Les animaux transpirent. La sueur s'accumule sous les tapis de selle. Il va bientôt falloir les décharger.

L'un après l'autre, les soldats reviennent, bredouilles.

— On ne la trouve nulle part, capitaine !

Mohinder hurle de rage et de frustration :

— Je veux cette pute ! Cherchez encore !

On entend retentir au loin des rafales d'armes automatiques.

— Tant pis ! lanca Mohinder. Il faut partir !

Il se tourne vers moi et m'écrase son poing sur la mâchoire. Je tombe par terre, la bouche en sang.

— Toi, mon salaud, tu ne perds rien pour attendre ! Allez, on y va !

Le village s'anime subitement. Les chiens se mettent à aboyer. Je vérifie une dernière fois le chargement des éléphants. Kalli Gooma s'approche de moi et me dit :

— Survis, mon ami ! Reste en vie et ne regarde pas derrière toi.

Il pose la main sur mon cœur puis s'éloigne.

Le convoi s'ébranle sur la piste. Le capitaine grimpe sur l'éléphant de tête. Son palanquin est surmonté d'un parasol. Mo, en plus du matériel, porte une mitrailleuse. Un rebelle marche à côté de nous. Nous sommes placés en milieu de colonne. Aux yeux du capitaine, je suis un cornac parmi d'autres. C'est très bien comme ça. En partant, je l'ai vu échanger quelques mots avec un soldat en me regardant. Je suppose qu'ils vont me faire payer l'absence de Sian. Je ne peux m'empêcher de la chercher des yeux. Je ne vois rien. Tant mieux. C'est qu'elle se trouve en sécurité.

La piste devient de plus en plus escarpée et, au fil des jours, difficile à gravir. Les éléphants, qui ne travaillent que quatre heures par jour, peinent terriblement. Leurs muscles sont développés pour soulever, tracter, pousser, non pour porter de lourds fardeaux. J'ai voulu que les charges soient adaptées aux capacités de chacun d'eux, mais les soldats ont sans cesse rajouté du poids, si bien que les charges sont déséquilibrées et gênent constamment la progression des animaux.

— Dites au capitaine que les éléphants doivent manger et boire, sinon, ils vont s'épuiser, lance un cornac à un soldat.

Il rapporte la réponse du capitaine Mohinder :

— Marche ou crève !

Un peu plus loin, un éléphant s'effondre, déshydraté.

— Ils vont tous mourir si nous ne les laissons pas boire plus souvent ! alertent les cornacs.

À contrecœur, Mohinder accepte des haltes plus fréquentes. Il n'a pas le choix, s'il perd les éléphants, il perd tout.

Le soleil darde ses rayons sur le bivouac. Le matériel gît sur le sol. Les éléphants broutent l'herbe grasse et les buissons. Au-dessus de nous, le col de Dullirah apparaît, couvert d'un épais brouillard. Les cornacs parlent de manque de visibilité, de pentes abruptes, d'avalanches. Le franchir serait un miracle. Seulement Mohinder doit absolument traverser le col pour établir la troupe de l'autre côté, dans une vallée, aux portes d'une ville. Là, il occupera une bonne position pour continuer le combat. Il ne reculera pas. Je ne crois pas qu'il ait d'autre choix, la déroute exceptée.

Les animaux cessent de manger. Ils ont entendu un appel venant d'en bas. Je cours au sommet de la colline la plus proche : un éléphant monte rapidement le sentier. Il pousse de sonores barrissements pour annoncer son arrivée. Tout le troupeau lui répond.

Mon cœur se met à battre. Je reconnais Swati, l'éléphant de Sian ! J'écarquille les yeux : c'est bien Sian, juchée dessus, tenue en respect par un soldat de Mohinder !

Elle saute à terre et court se réfugier dans mes bras. Haletante, Sian m'explique qu'à peine sortie de la forêt où elle s'était cachée le soldat lui est tombé dessus. Je comprends maintenant ce que le capitaine a ordonné à l'un de ses hommes juste avant le départ : « Reste au village. Attends qu'elle se montre et ramène-la ! » Ils ne se sont pratiquement pas arrêtés en route, sûrs de pouvoir nous rejoindre, d'autant plus vite qu'ils ne sont pas chargés.

Et maintenant ? Que va-t-il se passer ? Le capitaine fixe Sian des yeux en jubilant. Il l'oblige à monter sur l'éléphant de tête. L'inconfort du palanquin, les sièges séparés empêcheront les gestes trop intimes. Mais la nuit prochaine ?

Le convoi repart vers le col. En le découvrant plus nettement, je partage la crainte des cornacs. Il fait trente kilomètres de long et déroule ses courbes sinueuses sur le flanc d'une colline de trois cents mètres de haut. Le paysage est désertique ; seul un grand chêne projette sa squelettique silhouette contre le ciel.

Le climat devient glacial. Des rafales de vent se mettent à souffler sur le défilé. Les éléphants progressent à la queue leu leu. Les rochers qui s'avancent en saillie au-dessus du chemin menacent d'accrocher les ballots de matériel. Pis : si les éléphants les heurtent, ils risquent de basculer dans le vide. À plusieurs reprises, les hommes sont obligés de démonter les palanquins, de les porter, et de les remonter plus loin. Les éléphants grelottent de froid. J'ai prévu des couvertures de laine. Je demande à ce qu'on les étale sur leurs dos.

Le brouillard est devenu impénétrable. Il faut s'arrêter. Les cornacs rassemblent les éléphants à l'intérieur d'une cuvette taillée dans la pierre afin qu'ils puissent se serrer les uns contre les autres et se tenir chaud. Il n'y a ni nourriture ni eau. Les animaux doivent rester immobiles à endurer le froid, la fatigue, la faim et la soif. La nuit tombe. Un éléphant veut se coucher. Les cornacs hurlent pour l'en empêcher. Il va tous les faire tomber dans le ravin.

Le brouillard vire du gris au rose, signe qui annonce l'aube. Mohinder envoie un soldat en avant pour savoir si le sentier s'améliore. Les nouvelles qu'il rapporte sont mauvaises.

— Il n'y a plus de sentier, capitaine ! Un éboulement de terrain l'a recouvert de terre sur au moins soixante mètres.

— Vingt hommes avec des pelles, tout de suite, pour dégager le passage ! ordonne Mohinder.

Pour nourrir les éléphants, les cornacs détournent du pain, des fruits et des légumes de la ration des soldats.

Le passage dégagé, le convoi repart. Mohinder est trop inquiet pour regarder Sian. Il l'a oubliée. La pluie tombe interminablement, rendant le sentier boueux et glissant. Les éléphants commencent à déraper, certains s'affalent sur les genoux. Les cornacs doivent les aider sans cesse. La visibilité est nulle en raison de l'épaisseur du brouillard. Il faut deux jours pour atteindre le bout du défilé. Mohinder frappe les hommes, jure sans discontinuer, lance des ordres irrationnels :

— Fais avancer ce bestiau ou je le tue !

Sinja, l'éléphant qu'il monte, s'est effondré. Il refuse de bouger et bloque le convoi.

— S'il meurt, on ne pourra pas le déplacer, répond le cornac.

— Je le ferai dégager en le coupant en morceaux, crétin !

Il sort un pistolet et vise la tête.

J'interviens.

— Une minute, capitaine ! Les éléphants sont au bord de la panique. Ils risquent de faire n'importe quoi et de nous entraîner dans le ravin ! Laissez-moi essayer !

Mohinder semble paralysé. Je ne lui laisse pas le temps de me répondre. Je fais avancer Mo et la place la tête face au précipice. Je sors des cordes de traction du paquetage et noue l'extrémité des cordes sur la plaque de poitrail de Mo et l'autre bout sur la plaque de poitrail de Sinja. Je sais que l'éléphant a la force de se lever mais il n'en a plus la volonté. J'appelle les cornacs à l'aide. Au moment où je donne à Mo l'ordre d'avancer, les cornacs poussent en encourageant Sinja.

— Allez, mon vieux, tu peux y arriver !

Mo tire doucement. Sinja ramène ses pattes sous lui et se lève lentement. Une fois debout, j'use de persuasion pour le convaincre de reculer. Finalement, Sinja se range sur le côté. Je lui donne un fruit à manger pour le récompenser.

Le brouillard est si épais que je ne vois même pas mes pieds, mais le chemin, si petit soit-il, est encore là. Je guide Mo en tête de colonne et lui demande de marcher en décollant la patte le moins possible du sol pour diminuer le risque d'une chute. En contraignant Mohinder à ne pas abattre Sinja, j'ai sans aucun doute évité une catastrophe. Derrière nous, la file avance lentement.

Le brouillard en partie dissipé révèle un nouveau danger : les éléphants saignent à force de frotter leurs pattes contre le sol. Or, un éléphant dont les pieds sont écorchés devient très difficile à guider. Je réclame une halte. Aussitôt, les cornacs soignent les animaux avec un onguent. Ils détachent aussi toutes les peaux mortes.

Je vois dans la file un éléphant agenouillé, mugissant de douleur. Je cours vers lui pour le réconforter. Trop tard ! Il se jette dans le vide. J'entends son corps heurter le fond du précipice plusieurs dizaines de mètres plus bas. C'est un suicide. Je sais que la mort d'un éléphant affecte le moral de tous les autres. Avant la tombée du jour, deux autres éléphants se laissent glisser dans le ravin. Mohinder n'a plus besoin de les tuer, ils se tuent eux-mêmes. Les soldats ne sont pas loin de déserter, eux aussi. Mais, au point où nous en sommes, mieux vaut essayer de franchir le col que revenir sur nos pas.

Le lendemain, le soleil brille dans un ciel complètement dégagé. Tout le monde reprend courage et se rue en avant. La fin du défilé est en vue.

Le cri lancé par un soldat nous arrête tous.

— Des avions !

Les hommes regardent le ciel : plusieurs biplans arrivent de la vallée. Le capitaine hurle des ordres. Les soldats retrouvent leurs réflexes bien huilés. Ils n'ont pas le temps d'installer les mitrailleuses à terre mais réussissent à les armer.

Je me mets à hurler :

— Ne tirez pas ! S'ils ripostent, il n'y a aucun refuge possible !

Les avions effectuent un vol de reconnaissance. Leur altitude prouve qu'ils n'ont pas l'intention d'attaquer.

Le capitaine donne l'ordre de tirer. Un avion est touché et plonge vers le sol. Les autres virent sur l'aile et reviennent sur nous en position de combat.

Je crie :

— Sian ! Grimpe sur Mo !

Mo est en tête de colonne. Devant elle, le sentier s'évase. Je rejoins Sian en hurlant :

— En avant, Mo, en avant !

Elle se rue, trompe brandie. Elle court de toutes ses forces.

Les avions piquent sur la colonne. Leurs mitrailleuses répondent à celles de la troupe. Des hommes tombent, des éléphants aussi.

Pris de terreur, les animaux se lancent sur les traces de Mo dans un vacarme de barrissements et de beuglements. Ils partent à fond de train, renversant les armes et les soldats, éparpillant le matériel dans leur course frénétique.

Les avions reviennent pour lancer une nouvelle attaque. J'entends le bruit des balles qui percent la chair de Mo. Elle a reçu deux impacts à la tête. Ses pattes fléchissent. Elle secoue la tête de droite à gauche en rugissant de fureur et de douleur. Sa trompe cingle l'air dans tous les sens. Elle tombe sur les genoux, se frotte convulsivement la tête contre le sol, se relève d'un coup brutal et repart au galop en zigzaguant, ruisselante de sang. Elle parvient tant bien que mal à nous abriter sous un arbre avant de s'effondrer. Sian et moi sommes projetés dans les buissons alentour.

Les avions piquent à nouveau. Le hurlement de Mo est celui d'une créature sauvage. Couché contre elle, je lui parle comme à un bébé. Je la caresse, la rassure tendrement : « Mo, ma petite, tout va bien. Allonge-toi doucement… Voilà… Bonne fille. » Je passe la main sur les trous laissés par les balles. Ils sont situés sur le haut du front.

Une autre balle lui a percé la partie inférieure de l'oreille. Elle halète et saigne beaucoup.

Mo cesse de respirer pendant quelques secondes d'extrême angoisse puis se met à inspirer profondément. Je suis couvert de sang des pieds à la tête. Je palpe son corps à la recherche d'autres blessures. Je ne vois rien de sérieux. Je demande à Sian de m'aider à faire cesser l'hémorragie. Elle ne me répond pas. Elle gît dans une mare de sang. Je bondis vers elle. Je la soulève doucement en la tenant par les épaules.

— Ma chérie, réveille-toi !

Je l'embrasse sur la bouche, les joues, les yeux.

— Parle-moi, chérie, dis-moi quelque chose, je t'en prie, dis quelque chose !

Sian, ses cheveux de soie étalés sur ma poitrine, repose, inerte, dans mes bras. Elle a le corps criblé de balles. Ses grands yeux noirs déjà vitreux sont tournés vers le ciel qu'elle ne voit plus.

Son corps est encore chaud. La flamme de la vie hésite à s'éteindre. Elle vacille sous le souffle froid de la mort. Peu à peu le regard de Sian s'obscurcit, son corps se fige, même l'aspect de ses cheveux change. L'esprit de la mort a raison de son sourire, de sa gaieté, de notre bonheur, de notre avenir. Je hurle de douleur.

Les éléphants rescapés se sont réfugiés sous les arbres. Dans le ciel, les avions tournoient en larges cercles, arrosant toute la zone de rafales de mitrailleuse. Les derniers éléphants arrivent en claudiquant. Des corps d'hommes, soldats et cornacs, blessés ou morts, pendent sur leurs flancs. J'aperçois le corps déchiqueté du capitaine Mohinder. Traîné et piétiné par Sinja, il n'est plus qu'une masse de chair écrabouillée.

Les avions disparaissent dans le ciel. Le combat est terminé.

J'enveloppe le corps de Sian dans une étoffe de soie. Mo s'est relevée dans la position du sphinx, la tête reposant sur le sol. Elle ne saigne plus. Elle respire lourdement. Les balles sont ressorties de la région bulbeuse du crâne qu'elles ont perforée. Je lave ses blessures à l'eau froide en espérant qu'elles ne s'infecteront pas. Je me rappelle que le cerveau des éléphants occupe la région inférieure de la boîte crânienne à la hauteur des yeux. De nombreux chasseurs ont perdu la vie après avoir visé trop haut sur un éléphant qui chargeait, ignorant que les balles se fichaient dans une masse de tissu spongieux à l'écart de tout organe vital.

On ne peut pas rester ici. C'est un désert de pierre. Il faut chercher des secours. Les soldats et les cornacs valides reprennent leur marche.

Nous essayons d'atteindre la petite ville qui se trouve à la sortie du défilé. Mo souffre énormément. Elle avance lentement en trébuchant, portant sur son dos le corps sans vie de Sian.

La cité s'élève juste derrière une colline.

Je veux mettre Sian en terre, ici. Ainsi, à la lumière, elle pourra trouver son chemin dans l'au-delà. Je choisis un grand et très vieil arbre, dans un jardin, à la sortie de la ville.

Je passe la journée près de sa tombe. Mo se tient en sphinx à côté de moi.

Au crépuscule, envahi par le chagrin, je pleure à chaudes larmes. Une main se pose sur mon épaule. Je lève les yeux, mais les larmes brouillent ma vision. Je m'essuie vivement : la silhouette penchée sur moi est celle de M. North.

Des infirmiers s'activent au milieu de corps d'hommes souffrants. Des bras, des jambes ensanglantés sortent des couvertures. Je reconnais des soldats rebelles de Mohinder et des amis cornacs. J'ai à peine la force de leur adresser un sourire, une douleur foudroyante me plaque sur le dos. Le temps est lourd, poisseux. Des mouches tourbillonnent au-dessus des blessures.

Je me soulève enfin sur un coude. Un auvent recouvert de branches de palmier est tendu au-dessus de ma tête. Il n'y a ni murs ni cloisons. Je suis étendu sur un lit de camp dans un hôpital de fortune. Dehors, des femmes poussent des chariots remplis de melons, de bananes et de boîtes de conserve qui rebondissent sur les ornières du chemin. Des camions délabrés arrivent en klaxonnant. Ils viennent déposer de nouveaux blessés.

Je tourne la tête de l'autre côté du lit. Mes yeux rencontrent ceux de Jack North.

— Comment vous sentez-vous ?

La question est posée sur un ton purement formel.

— J'ai mal partout. Je suis fatigué.

North s'empare d'un oreiller. Pendant un moment, je crois qu'il va m'étouffer. Non, tout de même pas ! Il glisse l'oreiller sous ma tête avec un air faussement bienveillant. Il est vêtu d'un costume à fines rayures impeccablement repassé, semblable à celui qu'il portait le jour où il a acheté le Wunderzircus.

— Vous avez dormi vingt-quatre heures d'affilée. Les balles vous ont seulement éraflé en n'entamant que les chairs.

Je n'ai pas conscience d'être blessé. Pourtant la douleur est là, bien réelle. Après la mort de Sian, j'ai plongé dans un état second. Lorsque Jack North m'a trouvé en larmes sur la tombe, je me suis relevé. Temblant sur mes jambes, j'ai attrapé la queue de Mo en lui marmonnant « En avant ». Et elle m'a conduit jusqu'ici. Les autres éléphants, boitant, saignant, nous ont suivis. Je suis tombé à plusieurs reprises. Lorsque North a voulu m'aider, Mo s'est interposée. Elle l'a repoussé, attendant que je me remette debout par mes propres moyens et, chancelante, a repris sa marche.

— Est-ce que Mo va bien ?

— Oui, malgré les trous dans la tête, me répond North.

Il continue à me parler mais je ne l'entends plus. Je pense à Sian, seule, froide, abandonnée dans sa petite tombe comme mon père sur la colline, en Allemagne.

— Laissez moi seul, s'il vous plaît.

— Je reviendrai, fait Jack North en repoussant sa chaise.

Je viens de passer deux jours et deux nuits dans le campement à délirer. Dans mes cauchemars, North emportait Mo sur un bateau. J'ai aussi rêvé de Sian et de Gertie.

Une infirmière vient m'aider à passer mes vêtements. J'ai recouvré quelques forces. Je veux les mettre à profit.

— Vous ne devriez pas partir maintenant, Bram, me dit-elle.

— J'ai rendez-vous avec une dame !

Je remercie l'infirmière pour son dévouement. Avant de quitter l'hôpital, je serre la main de mes amis cornacs. Leur grande obsession est leur retour au village. Quand retrouveront-ils leurs épouses et leurs enfants ? Je fais un dernier adieu de la main à tous ces hommes au visage défait et je pars.

Le soleil n'a pas encore franchi la crête de la montagne. Je demande aux rares passants de rencontre où sont les éléphants blessés et finis par savoir qu'ils ont été rassemblés de l'autre côté de la ville dans une vallée étroite cernée de collines.

L'odeur familière des éléphants emplit l'air. Je gravis une butte qui domine les lieux.

La gorge serrée, le souffle coupé, je dois m'asseoir quelques instants. Un carnage. Du sang, des mouches, des guêpes partout. Des éléphants inertes qui ressemblent à des rochers. Je descends parmi eux, les caresse, leur parle, salue leurs cornacs. L'émotion m'étreint. Certains éléphants sont déjà morts, d'autres respirent à peine. Les plus vaillants errent, clopinant, traînant leurs membres blessés, se heurtant à leurs congénères, trébuchant sur des cadavres et s'effondrant à leur tour. Un éléphant blessé s'appuie sur sa trompe et se projette désespérément en avant sans comprendre pourquoi son corps disloqué ne lui obéit plus. Un autre, étendu sur le flanc, pousse des barrissements de douleur, les pattes battant l'air, mimant une course folle, revivant le choc de la terreur, des rafales de balles et des hurlements. Des mares de sang forment de petits affluents ruisselant autour des corps. Ce que je vois, je le vois sans le voir. Ce que je vois, mon cerveau refuse de l'enregistrer. L'esprit se ferme pour que la compassion et la compréhension ne se muent pas en souffrance pure.

Je passe parmi eux, frissonnant d'émotion. Une voix affaiblie monte du fond de l'angoisse. C'est un gémissement implorant, terrifié. J'en comprends la raison : un médecin fouille les blessures d'un éléphant en essayant d'extraire les balles fichées dans son corps. En marchant, mon pied heurte par inadvertance un petit tas de balles sanguinolentes. Les cornacs essaient de stopper les hémorragies en plaquant des tampons de coton et de gaze sur les plaies. Les bêtes souffrent.

Je gagne le fond de la vallée où sont parqués les éléphants convalescents. Un ruisseau d'eau coule au milieu et forme une sorte d'étang, où les éléphants sont étendus, immobiles. Ils se cicatrisent ainsi. J'aperçois enfin Mo couchée sur le flanc, respirant avec difficulté.

Un homme plonge une baguette enroulée de gaze dans un antiseptique avant de l'enfoncer dans les tunnels que les balles ont forés dans sa tête. La douleur est insupportable. Des projectiles sont restés fichés dans les cartilages spongieux, d'autres ont complètement traversé le crâne. À mon approche, Mo essaie de se lever. Je lui demande de rester couchée. Je lui caresse la trompe et l'embrasse.

— Je vais m'occuper de toi, ma toute belle.

Je lui apporte de l'eau de la rivière et de l'herbe fraîchement coupée. Je cueille pour elle du trèfle. Je ne la quitte plus.

La nuit, les cornacs font des grands feux pour réchauffer les animaux. J'ai allumé quatre petits foyers autour de Mo. La chaleur l'enveloppe comme une couverture.

J'alimente les brasiers avec des branchages. Les pas d'un homme se font entendre. Un frisson me parcourt le corps. Je n'ai pas besoin de lever la tête pour savoir qui vient.

— Comment va notre femelle ? fait M. North.

Il s'assoit sur une grosse souche, le dos au feu. Les flammes derrière sa tête rendent son visage presque indistinct.

— Elle est encore très faible. Mais elle mange mieux et ses hématomes ont désenflé.

— Bram, il est temps que nous ayons une discussion.

— Si vous voulez.

Jack North s'empare d'un tison et allume une cigarette.

— Je crois que de toute ma vie je n'ai jamais détesté quelqu'un autant que vous. Le mot « haïr » conviendrait mieux.

— Quelle franchise !

North souffle la fumée de sa cigarette, qui se mêle à celle qui monte du feu derrière lui. Les veines de son cou battent au rythme de sa colère.

— Ma franchise vous étonne ? Vous m'avez coûté une fortune. Vous m'avez menti. Vous m'avez dupé. Vous m'avez volé ! À cause de votre comportement inconsidéré, mon éléphant a failli être tué.

Jack North se rapproche de moi. Je sens son haleine. Il me souffle au visage :

— Cette éléphante est à moi, pas à vous ! Je l'ai achetée. Vous comprenez ça ? Je voudrais vous voir croupir en prison mais je ne le ferai pas. Je suis conscient que cet animal n'obéira jamais qu'à vous. C'est un fait inexplicable, mais c'est un fait. Avant tout, je suis un homme d'affaires. Et un homme d'affaires s'en tient aux faits, même s'ils sont contrariants et désagréables ! Écoutez-moi attentivement. J'ai imaginé une manière astucieuse de rentrer dans mes frais. Nous appellerons Mo l'« éléphant aquatique » ou le « fils de Neptune », n'importe ! On trouvera quelque chose pour intriguer les gens et les faire venir. Elle deviendra une sorte d'héroïne, et les gens paieront pour la voir. Ils se bousculeront, même ! Je suis sûr de mon coup. Je n'aurais jamais fait la carrière que j'ai faite si je n'avais pas le nez creux. Je n'aurais pas acheté cet animal, couru les Indes à sa recherche si je n'avais pas détecté en elle l'affaire du siècle. Suis-je clair ?

— Dès que vous parlez d'argent, vous devenez limpide, monsieur North.

— Maudit insolent ! Vous seriez déjà à vous morfondre au fin fond d'un cachot si j'étais assez stupide pour refuser d'admettre que vous êtes capable de faire de cette bête prometteuse à peu près ce que vous voulez !

— D'accord ! Vous êtes malin, monsieur North, vous êtes un homme habile, mais vous n'avez pas de cœur. Et c'est une grave infirmité !

Nous nous défions du regard. Finalement, North continue.

— Je vous emmène avec moi aux États-Unis. Vous mettrez au point un numéro spécial. Je me charge de la publicité. Qu'en dites-vous ? D'accord ou pas ? Je veux entendre votre réponse maintenant.

Je suis d'accord.

La seule pensée de travailler pour cet individu me retourne l'estomac. Mais n'est-ce pas la solution la moins mauvaise ?

— Je veux quelque chose de cent fois supérieur à ce que j'ai vu en Allemagne. Je veux du jamais vu, de l'extraordinaire ! Alors peut-être cesserai-je de vous haïr et me contenterai-je de vous détester cordialement. À Hasengrossck, vous m'aviez demandé de vous laisser une chance, vous vous rappelez ? Je vous la donne aujourd'hui. Prenez-la, il n'y en aura pas une seconde.

— Je vous ai déjà donné ma réponse, monsieur. C'est oui.

Il est pris d'une quinte de toux à cause de la fumée qui se rabat sur lui. Il se lève en me signalant que nous partirons dès que Mo sera en état de supporter le voyage. Puis il disparaît dans le noir de la vallée.

Je me tourne vers Mo. Elle dort. Je caresse doucement son cou. Ce geste apaise ma colère. Elle me répond par un borborygme affectueux. Je regarde les flammèches zébrer la nuit au-dessus des braises.

J'écris à Ya, qui m'a adopté comme un fils, à Singh, qui m'a permis de devenir cornac, à Kalli Gooma, qui a été mon maître. Je les informe que je ne rentrerai pas à l'exploitation de tecks. Ma vie prend une autre direction. Je pars avec Jack North aux États-Unis. Je redeviens dresseur, je ne serai plus jamais cornac. C'est ainsi.

Avant de quitter ce pays, je retourne à la « vallée des pierres », comme la surnomment les habitants de la région. Le vent souffle sur ce lieu de mort et de misère. Je revois la terreur qui s'est abattue sur nous. J'éprouve un peu de paix en pensant aux survivants qui vont retourner au village et aux morts qui ont cessé de souffrir.

Je m'agenouille devant la tombe de Sian. « Un jour, lui dis-je, nous nous retrouverons. Là-bas, dans la forêt de l'infini. Chaque nuit, dans mes rêves, je te retrouverai sous cet arbre. Nous nous raconterons l'un l'autre notre journée. Je t'aimerai toujours ; ton souvenir ne me quittera pas. »

Des nuages légers et transparents flottent dans le ciel d'un bleu limpide. Des oiseaux querelleurs sifflent audessus de ma tête. Je lève les yeux. L'arbre est grand et robuste. Il protégera la tombe. Je continue à parler à Sian : « Mo voulait venir, mais nous avons un long chemin à faire pour aller aux États-Unis. Je ne voulais pas la fatiguer. Tu vas lui manquer. Je t'aime, Sian. Tu me manques tellement ! »

Quelques larmes coulent sur la tombe. L'une d'elles s'attarde sur un pétale de fleur, et j'ai l'impression que les nuages, le ciel, l'arbre se reflètent dans cette larme. Je comprends que toutes les choses de la nature sont dans

Sian, comme elle se reflète dans chacune d'entre elles. L'enveloppe vide de Sian gît sous la terre, mais la vie, la source de vie qu'elle a quittée a été emportée par le vent et s'est mêlée aux éléments, au soleil, à l'air et à l'eau. Elle s'est unie avec la nature. La beauté de Sian accroît la beauté de l'univers. Et une joie profonde inonde mon cœur.

L'Amérique

Avant de s'envoler vers les États-Unis « préparer l'opinion », Jack Norh m'a donné une avance sur salaire pour que je puisse acheter des vêtements et aller chez le coiffeur. Je ne dois pas ressembler à un vagabond en débarquant à New York. Mieux encore, il a fourni une aide financière aux cornacs blessés au cours de l'opération militaire afin de leur permettre de regagner le village avec leurs éléphants. Il a payé les chariots et la nourriture. Grâce, en partie, à la générosité — stupéfiante, inexplicable, exotique ? — de Jack North, je peux quitter mes amis cornacs le cœur en paix.

Le camion à plateau qui doit transporter Mo au port est sans garde-corps. Bravo, Jack North ! Avec un sourire malicieux, je fais monter Mo sur la plate-forme et tout l'arrière du camion s'écrase, soulevant les roues avant de presque vingt centimètres ! Je dessine à la craie sur le plateau quatre cercles pour lui indiquer où elle doit poser ses pattes, ce que Mo fait de bonne grâce. Seulement, quand ça la démange et qu'elle lève une patte pour se gratter, le camion se met à tanguer dangereusement.

Je décide de rester avec elle sur la plate-forme pour la rassurer et me rassurer moi-même. Je crie au chauffeur de rouler lentement, surtout dans les virages. Ils sont nombreux, sur ces petites routes de montagne. Ce voyage me rappelle les balades en camion avec mon père quand nous emmenions Emma au Wunderzircus.

Le bateau qui nous attend au port pour nous emmener en Amérique ressemble à un voilier de croisière. C'est un trois-mâts. Le nom s'étale sur la proue en caractères arabes, que je suis incapable de déchiffrer. Pour pallier l'absence d'une grue qui aurait tracté l'éléphante, les marins ont prévu une rampe large et solide qui réunit le quai au bateau. En apercevant l'eau entre les lattes de bois, Mo ouvre des yeux larges comme des soucoupes. Elle refuse d'avancer. La vision du bateau et de l'océan lui rappelle le cauchemar du naufrage.

Je parlemente, je rassure, j'argumente pendant de longues minutes. Finalement, Mo consent à poser une patte puis l'autre sur la rampe. Pas à pas, elle embarque. Les marins applaudissent autant l'éléphante que la patience de son guide.

Elle refuse maintenant d'entrer dans la cale. Je me sens impuissant à lui faire oublier la terreur vécue dans la soute du *Ghanjee*. Je me lance dans une vive négociation avec le capitaine du voilier. Après avoir exigé et obtenu un dédommagement, il ordonne la construction sur le pont arrière, loin de la cale, en face du pont promenade, d'une cabine spéciale surélevée destinée à recevoir la capricieuse demoiselle. Pour joindre l'utile à l'agréable, je fabrique un dais orange et or qui protégera la belle passagère des morsures du soleil. Le résultat est splendide : le reflet orangé qui l'enveloppe semble émaner d'elle comme une aura mystique. Elle trône sous le drapeau déplié comme une statue en or.

— Vu sa position sur le pont, ironise le capitaine, elle pourra nous avertir des éventuels dangers de la mer.

Mo peut observer l'horizon et surveiller ce qui se passe à bord. Impressionné par son attitude dominatrice, sa trompe levée et ses défenses pointées vers le large, l'équipage la surnomme la « Nymphe des mers ».

Le bateau franchit le golfe du Bengale et fait route vers le sud en contournant le cap de Bonne-Espérance. J'apprends qu'un trois-mâts ne fend pas les eaux comme un cargo à vapeur. Il accompagne les vagues, ce qui rend sa course plus vulnérable que celle du *Ghanjee*. Les premiers jours, les vents tièdes bercent Mo. Elle se détend. Sa blessure à la tête cicatrise bien et elle mange normalement. Ensuite, elle prend l'habitude de chevaucher les vagues. Pour compenser le tangage du navire, elle se penche alternativement en avant et en arrière. Les matelots affirment que la Nymphe des mers a le pied marin.

Pour maintenir ma forme, je grimpe tous les jours en haut du grand mât. Je m'amuse à faire la vigie dans le nid-de-pie.

Le bateau remonte l'océan Atlantique en direction de la côte est des États-Unis. La traversée dure plusieurs mois.

Juché sur le bout-dehors, je plisse les yeux en essayant d'apercevoir la terre à l'horizon. Rien ou l'infini. Soudain, Mo pousse un barrissement. Je pointe les yeux sur la mer. Au loin, la terre ! Mo l'a aperçue avant moi.

La statue de la Liberté apparaît derrière une nappe de brouillard. Le bateau fait retentir ses cornes de brume en passant près d'elle. Mo barrit à l'unisson. En comparaison, l'éléphante a l'air minuscule, mais l'animal et la statue ont une chose en commun : ce sont des grandes dames !

Je contemple les sommets des gratte-ciel. Mo se tient la tête penchée en avant. La brise tiède qui vient de la ville lui caresse le front. Elle lève la trompe et hume les odeurs qui affluent pour collecter le maximum d'informations sur le Nouveau Monde. Au cours de la traversée, un marin lui a tricoté et cousu une casquette rouge et blanc avec un foulard assorti. La coiffure est pourvue d'une mentonnière qui l'empêche de s'envoler. Avec le foulard attaché autour de son énorme cou, la pointe en bas sur la poitrine, Mo a fière allure en abordant New York.

Au port, le déchargement s'effectue avec une formidable efficacité. Un van doit nous conduire au « plus grand cirque du monde ». Les manœuvres ouvrent les portes arrière, sortent la rampe. Mo et moi apparaissons sur l'esplanade. Nous n'avons jamais entendu pareille clameur. Les New-Yorkais, attirés par la campagne publicitaire menée par Jack North, sont venus très nombreux nous accueillir. Je crois entendre crier mon nom dans la foule. Je scrute les visages inconnus. Un homme surgit de la multitude en agitant le bras. Je le reconnais aussitôt : Kelly ! Kelly Hanson !

Nous nous embrassons. Nous dansons comme des gosses. Je suis incapable de prononcer un mot. C'est merveilleux de retrouver un ami !

— Tu avais oublié ? Je travaille ici, à New York, pour North !

On l'appelle pour décharger. Il promet de me retrouver et se fond dans la foule.

Le cirque est gigantesque. Mo est fascinée. En entrant dans la ménagerie, elle reproduit le son de la corne de brume. Tous les éléphants lui répondent. Elle pénètre comme une reine dans sa nouvelle demeure.

Mesdames et messieurs, enfants du monde entier, le cirque North est fier de vous présenter le plus célèbre, le plus courageux et le plus fort des éléphants du monde ! Mesdames et messieurs, voici Modoc, l'éléphant d'or !

Mo entre sur la piste, vêtue d'une couverture de velours rouge bordée d'un galon et de glands dorés, ses défenses scintillant de mille feux. Nous exécutons le numéro du Wunderzircus. Je suis stupéfait du nombre de spectateurs et des tonnerres d'applaudissements que nous soulevons. Le numéro n'a rien d'original. Ce ne sont pas les prouesses de Mo que les spectateurs acclament, mais l'héroïne dont ils ont entendu parler à la radio. Ils admirent l'éléphante courageuse qui a sauvé des vies humaines au cours d'un naufrage. M. North a fait le nécessaire pour que tous les journaux racontent l'épisode. Je suis ravi. Seulement, la prochaine fois, je veux montrer au public américain tout ce que j'ai appris avec mon père, à l'éléphantérium et avec Kalli Gooma.

Jack North m'octroie une roulotte chauffée, équipée, avec un cabinet de toilette, un salon avec fauteuil et une radio. Je dispose aussi d'un coin terrasse avec une table pliante, deux chaises et un auvent amovible en toile verte. Mon salaire est considérable par rapport à ce que Gobel versait à mon père. Toutefois, il reste très inférieur à celui des autres dresseurs. Jack North ne faisant jamais rien par bonté d'âme, je me dis que mon traitement doit correspondre à une stratégie dont l'homme d'affaires a le secret. On verra bien.

« Attention, Bram, m'a prévenu Kelly, les relations avec les autres dresseurs risquent de ne pas être simples. Pour eux, tu es un amateur monté en graine sur un coup de pub. »

La jalousie ou la fierté mal placée de mes confrères enveniment les rapports. Je suis attentif à ne pas me laisser démonter par leurs petites méchancetés destinées à me ridiculiser.

Quarante-deux éléphants peuplent la ménagerie du cirque North. Trente-huit femelles pour quatre jeunes mâles. Ils sont rangés par ordre de taille, du plus petit au plus grand. Mo est tout au bout, c'est la plus volumineuse. Ses défenses ont gagné en épaisseur. Elle porte de beaux fourreaux dorés qui montent sur presque trente centimètres.

Tout de suite, un malentendu éclate. Les dresseurs ne comprennent pas pourquoi je refuse que les gardiens nettoient la stalle de Mo. J'exige de le faire moi-même et de la nourrir moi-même. Neil, le dresseur-chef, en est exaspéré.

— Cela fait des années qu'on fonctionne ainsi ! Qu'est-ce que tu veux prouver ?

— Rien. Je préfère le faire moi-même, c'est tout.

— Je veux connaître tes raisons.

— Eh bien, je vais te les donner. Quand les gardiens nettoient les cages, quand ils nourrissent les animaux, c'est juste un job, un gagne-pain comme un autre. Ils ne se soucient pas d'établir un contact avec les éléphants. Ils ne cherchent pas à les comprendre, à les connaître. Ils ne les caressent pas, ils ne leur parlent pas, ils ne contrôlent pas leur état de santé. Nous savons qu'il y a des gardiens qui boivent. Certains sont de vrais pochards qui empestent l'alcool dès le matin. Si l'éléphant les gêne, ils lui donnent un coup de fourche sans hésiter. En plus, ils ne font pas attention à l'hygiène de la stalle. Ils ne vérifient pas s'il y a des algues dans l'abreuvoir, par exemple.

— Ce ne sont que des bêtes ! Tu les traites comme des êtres humains !

Cet homme ne comprendra jamais les éléphants. Sa cervelle est étroite et son imbécillité sans limites. Je crains que sa désinvolture à l'égard des animaux ne transparaisse dans ses méthodes de dressage. En m'éloignant, je lui dis :

— Elles le méritent !

Ce qui le stupéfie encore plus.

Mes craintes sur la brutalité de Neil et des dresseurs du cirque North se révèlent fondées. Bertha, la doyenne, a le corps couvert de cicatrices qui proviennent des écorchures faites par le crochet. Les blessures se sont infectées, comme le montre l'altération de la peau. La plupart des plaies sont situées en haut de la patte avant, sous le genou arrière, et à la jonction de la tête et de l'oreille.

Les autres éléphants ne sont pas mieux traités. Ils passent de main en main. Les gardiens et les dresseurs changent sans cesse. Les animaux, perpétuellement nerveux, stressés, sur leurs gardes, développent une attitude vindicative. Certains attendent leur heure pour régler leurs comptes. L'atmosphère est malsaine. Je décide de ne pas m'éloigner de Mo. J'entre dans sa stalle, m'assois sur une botte de foin. Je la regarde et m'exclame :

— Nous voici aux États-Unis, ma belle. Seuls au monde, comme toujours.

Ma chère Gertie,

Le temps est passé si vite ! Je me sens beaucoup plus vieux que mon âge. Il y a eu ce terrible naufrage dont je t'ai parlé dans ma dernière lettre, puis mon voyage en Inde, mon mariage avec Sian, la guerre et la mort de Sian. Tous ces événements m'ont prématurément vieilli. Je me sens épuisé, le matin. On me dit que je souffre encore du choc que j'ai subi. C'est difficile à reconnaître, mais j'en pleure la nuit. Je ne peux l'avouer qu'à toi. Et je m'en veux du mal que je t'ai fait.

Je suis en Amérique depuis six mois et je n'ai toujours pas reçu de tes nouvelles. Curpo m'écrit qu'il te voit quand tu viens à la ferme et que tu es aux petits soins pour maman. Il paraît que tu refuses de prononcer mon nom. Je comprends très bien. Je ne peux pas te jurer que si je devais recommencer je ferais un autre choix que celui que j'ai fait à l'époque. Kalli Gooma, un homme très sage que j'ai connu en Inde, me disait que tous nos choix sont toujours à la fois bons et mauvais. J'ai beaucoup souffert d'aimer deux femmes. Je suis allé au temple pour chercher une réponse et ne l'ai pas trouvée. J'ai été contraint de sonder ma conscience. Si tu m'avais appris que tu aimais un autre homme, j'aurais eu, moi aussi, très mal.

Sian est morte, brutalement, le corps hachuré de balles de mitrailleuse. Te dire combien j'ai souffert est impossible. Mais Sian n'est plus. Mon amour pour toi est et sera toujours aussi fort qu'un amour peut l'être. Kalli Gooma disait : « L'amour pour un être ne chasse pas l'amour pour un autre être. »

Pour le reste, je suis content de mon travail et Mo te salue. J'ai économisé assez d'argent pour faire venir maman et Curpo à New York… Toi aussi, si tu veux venir… Je suppose que tu ne voudras pas. Tu as trop pleuré à cause de moi. Je ne sais comment te le dire : mon amour pour toi n'a pas changé. Il ne peut pas mourir. C'est aussi vrai aujourd'hui qu'hier.

Pourquoi est-ce que j'éprouve un tel malaise à t'écrire ?

Il paraît qu'on peut pardonner mais qu'on n'oublie jamais. S'il te plaît, au moins, pardonne-moi.

Je t'aime,
Bram

Cher Bram, mon amour,

Tu as toujours été mon amour. Dès le premier jour de notre rencontre, quand je caressais Mo et que j'essayais de t'apercevoir, mon fier Bram, perché sur ton grand éléphant... Tu te rappelles quand j'ai dansé sur le dos de Mo au lac Cryer ? Tu étais mon prince, tu allais devenir mon roi !

Bram ! Ton histoire avec Sian m'a accablée, je n'ai jamais eu autant de chagrin de ma vie. Je sais et je comprends pourquoi tu as fait tout ce que tu as fait. Je peux même te pardonner. Hélas, mon amour, ça n'enlève rien à la souffrance que j'ai éprouvée !

Et je pensais que nous ne nous reverrions jamais. Mais, comme un bonheur peut entraîner un malheur, il faut bien qu'un malheur puisse entraîner un bonheur. Si tu n'avais pas été jeté dans cette horrible guerre, à l'issue de laquelle Jack North t'a retrouvé, nous ne serions pas en train de nous écrire ces lettres aujourd'hui. Nous nous sommes tant inquiétés, ta mère, tes amis et moi ! Tout ce temps sans nouvelles de toi ! Quand tu m'as parlé de Sian, j'ai été heureuse pour toi, aussi étrange que cela puisse paraître. Oui. Si quelqu'un aime vraiment quelqu'un d'autre, alors son bonheur est la chose la plus importante, même si cela signifie qu'on doit en souffrir soi-même.

Quand j'ai compris que je te perdais, j'ai eu l'impression qu'on m'arrachait le cœur. Je t'aimais tellement, tellement ! Tu étais l'homme avec qui je voulais passer le reste de ma vie.

Il y a une question que je ne cesse de me poser : si j'avais été là, laquelle de nous deux aurais-tu choisie ? Bram, comprends-tu ce qu'a pu être mon chagrin ?

Je t'avais perdu ! Et, maintenant, je passe du bonheur le plus profond à la confusion la plus totale. Est-ce que notre histoire pourrait, pourra recommencer ?

Donne-moi du temps. Soyons patients, ne nous précipitons pas. Nous verrons bien.

Je t'aime,
Gertie

Malheureusement, la réponse de Gertie est suivie d'une autre lettre.

Mon Bram chéri,

J'ai de mauvaises nouvelles pour toi. Tout le monde est d'accord pour que ce soit moi qui te l'apprenne : ta maman est morte... C'est arrivé soudainement... Elle allait très bien la veille. Nous avions dîné ensemble avec Curpo et quelques amis. Après le dîner, elle a dit qu'elle se sentait fatiguée et elle est montée se coucher. Je suis restée dormir sur place pour l'aider à remettre la maison d'aplomb le lendemain. Katrina est partie dans son sommeil. Paisiblement. Je ne savais pas comment te le dire. Elle t'aimait tant ! Elle était si fière de toi ! Elle t'a toujours soutenu, même le jour de ton départ et tous les autres jours, bien tristes, ensuite. Depuis que tu es à New York, il ne passait pas un visiteur à la maison sans qu'elle lui lise tes lettres ou qu'elle lui montre les articles de journaux qui parlaient de toi, qu'elle lui dise à quel point tu avais le cœur doux et bon.

Katrina était une femme simple qui a vécu une vie simple. Elle était plus forte pour les autres que pour elle-même, dévouée à son mari, à toi, à nous tous.

Elle sera enterrée à côté de ton père dans le cimetière de Grenchen Hill. Sa tombe sera la dernière. La grille de l'entrée sera fermée et seuls ceux qui connaissent les personnes enterrées y entreront.

Bram ! Comme je voudrais être là pour te serrer dans mes bras, pour soulager ta douleur. Sa mort m'a rappelé à quel point le temps de notre passage sur Terre est compté. Pourquoi rester seul alors qu'il y a quelqu'un qui vous attend, qui vous veut ?

Ta maman aurait voulu que nous vivions ensemble. Tout le monde nous voit ensemble, et moi aussi ! J'arrive, mon amour, et ensemble nous partagerons les peines et les joies que la vie nous apportera.

À toi pour toujours,
Gertie

Je déserte la roulotte pour aller dormir avec Mo. J'ai besoin de me serrer près d'un être familier qui, à maintes reprises, m'a apporté la preuve de son dévouement. Je m'endors blotti contre sa trompe. Les deux lettres de Gertie me laissent sur une impression contradictoire : la joie intense de la venue de Gertie et de Curpo et la tristesse profonde de la mort de ma mère.

Rien n'est stable dans ma tête. La nuit, je retrouve Sian au pied de l'arbre. Je déambule dans l'étroite roulotte pendant des heures. Je me surprends à parler à haute voix. « Sian, je ne dois plus rêver de toi ! J'ai reçu un télégramme : Gertie et Curpo débarquent à New York dans un mois. Ton souvenir m'accompagnera toujours mais je dois te laisser. Un jour, dans le futur, peut-être nous rencontrerons-nous à nouveau. Je ne t'oublierai jamais. Je m'éloigne de toi pour donner à Gertie ce qu'elle mérite de recevoir de moi. Tu me pardonnes, Sian ? »

Je lui avais promis de venir toutes les nuits la retrouver sous l'arbre. Et je renie ma promesse ! Comment trouver le repos ?

Les radios, les journaux, les hommes-sandwichs dans les rues, les taxis, les néons accrochés aux gratte-ciel, tout New York annonce que la soirée d'ouverture de la nouvelle saison du cirque North aura lieu au célèbre Madison Square Garden !

Un cortège d'éléphants et de chevaux chamarrés descend la Cinquième Avenue pour célébrer l'événement. L'Amérique attend de voir ce que Mo, l'éléphant d'or, est capable de faire ! Journaux et radios diffusent des messages publicitaires. Les clowns vont dans les écoles inciter les enfants à réclamer à leurs parents une soirée au cirque.

J'ai travaillé du matin au soir avec Mo. Je désire impressionner le public en montrant ses qualités exceptionnelles. Je cherche aussi à m'imposer auprès des autres dresseurs.

Mo est sensible, intuitive. Les Américains ont été impressionnés par notre passé commun : le typhon, les aventures en Inde, notre courage durant la bataille. C'est donc l'autonomie de Mo que je cherche à mettre en valeur. Le public va découvrir que les animaux sont capables de penser par eux-mêmes, d'agir, de raisonner. La manière dont Mo réalisera le numéro est aussi importante que le numéro lui-même. Elle va l'exécuter seule devant des milliers de spectateurs, sur la piste du plus grand cirque du monde !

Pour y parvenir, j'ai entraîné Mo à mémoriser tous les mouvements. Cela, aucun dresseur ne l'a jamais fait avant moi. Jack North va avoir son « jamais vu ». Sur la piste, elle ne pourra compter que sur sa mémoire — d'éléphant. Elle est tellement stimulante. Elle ne demande qu'à réaliser mes rêves et à les faire siens. Comme tous les animaux dressés — et c'est un pléonasme que de le rappeler —, elle est cabotine. Elle aime le spectacle, la musique, les lumières, les applaudissements. Elle aime sentir sur elle le regard de la foule. Elle a le « mental » d'une grande vedette.

Pendant les répétitions, les chers confrères sont venus m'espionner pour tenter de percer mes secrets. Je n'ai pas de « trucs » ! Mon dressage est le fruit d'une vie entière de communication entre l'éléphante et moi. Mo me considère un peu comme son fils et elle est un peu comme une sœur — une très grande sœur ! Pour mystifier les copains, je me suis livré à d'étranges gesticulations. Ils m'ont vu de leurs yeux, assis en tailleur entre les pattes de l'animal, les mains jointes, psalmodiant d'étranges prières cabalistiques. Ils sont repartis, persuadés que j'étais fou.

J'ai tout de même un truc pour régler le numéro : le vieil orgue à vapeur du Wunderzircus. Mo exécute une série de mouvements qui sont, chacun, associés à une note. Elle se guide sur la musique et non sur mes gestes. Voilà le « secret » du numéro.

La file d'attente s'étire tout le long de l'avenue qui mène au cirque. Le ciel dégagé et la température printanière ont incité les New-Yorkais à sortir avec leurs enfants pour se rendre au spectacle. Liant le calcul à la générosité, Jack North a annoncé que la recette de la représentation d'ouverture irait à une œuvre charitable, le service de pédiatrie du Central Hospital.

La tribune réservée à la presse est pleine. Les journalistes sont curieux de savoir si le spectacle de Jack North sera à la hauteur de ce que les citoyens de la cité la plus moderne du monde sont en droit d'attendre. Le numéro de l'éléphant d'or, vedette incontestée du spectacle de la rentrée, sera-t-il aussi formidable que l'affirment les slogans publicitaires ? De leurs réponses dépend le sort des artistes. De bons papiers, et le gagne-pain est assuré ; un flop, et c'est le licenciement sans ménagement.

Pour vaincre ou plutôt pour diminuer mon anxiété, j'astique et astique encore les défenses de Mo et leurs bouts dorés. J'ai récuré et huilé sa peau pour lui donner un aspect chaud et velouté. Ses ongles ont été taillés et polis à la perfection. J'ai toutefois refusé qu'on lui applique du vernis. La beauté naturelle de Mo se passe d'artifices. J'ai nettoyé et brossé sa couverture rouge et or. La star est prête, pimpante.

Et son dresseur est rongé par la peur ! Et si je m'étais planté ? Et si rien ne se passe comme prévu ? Et si Mo entend mal une note et fait un faux pas ? Et si le public ne réagit pas au numéro ? Et si ? Et si ? Et si ? J'écarte le rideau : la foule est là, immense, grondant d'impatience et d'excitation. Le public réagira, c'est certain. Et si je déçois les critiques ?

Mesdames et messieurs, enfants du monde entier, bienvenue au Madison Square Garden ! Nous sommes fiers de vous présenter le cirque North pour sa soirée d'ouverture de la saison d'été.

La voix de M. Loyal, amplifiée par les haut-parleurs, retentit sous le chapiteau.

Dans la coulisse, une main se pose sur mon épaule.

— Je voulais vous souhaiter bonne chance à vous et à Modoc.

Jack North me tend la main pour la première fois. Je réponds à son salut en le remerciant. Après son départ, je suis encore plus nerveux.

Notre tour passe dans une heure et demie. J'admire les acrobates, les Zifferoni volants, les clowns. La plupart des numéros sont merveilleusement exécutés.

Et c'est l'entracte. Les spectateurs ont une demi-heure pour se dégourdir les jambes dans les travées et acheter des sodas, du pop-corn, des bonbons, des hot dogs. L'attraction de l'éléphant d'or débute la deuxième partie de la soirée. L'entracte me semble interminable.

Mesdames et messieurs, enfants du monde entier, le cirque North est fier de vous présenter un numéro absolument unique en son genre.

Les gens cessent de bouger, de froisser leurs sachets de pop-corn...

Mesdames et messieurs, enfants du monde entier, vous allez assister à un numéro d'éléphant en solo ! Sans dresseur ! Je répète un numéro sans dresseur ! Jamais aucun animal n'en a été capable jusqu'à ce jour, jusqu'à notre éléphant d'or, Modoc, et son ami Bram Gunter !

Je ne suis pas surpris que North ait amputé mon nom — ses préjugés antisémites sont indélébiles.

Je me penche à l'oreille de Mo :

— Ce soir, c'est pour papa. Et pour maman.

La musique retentit, le rideau s'écarte.

— En avant, Mo !

Trompe relevée, elle entre sur la piste, seule. Un projecteur blanc la suit jusqu'au centre de l'arène. Un autre projecteur, bleu, m'encercle au moment où j'apparais dans un costume étincelant. Je rejoins Mo. Elle baisse la tête. Je lui agrippe les oreilles et l'embrasse sur le front. Ensuite, je m'en vais. Je sors carrément de la piste. Je m'installe dans un fauteuil pour regarder comme un simple spectateur. Le projecteur s'éteint à l'instant où je croise les jambes, confortablement assis. Sur la piste, Mo baigne sous une lumière blanche.

L'orgue à vapeur entame son air de fête. Mo démarre pile au signal. Elle enchaîne pirouettes, vrilles, boucles, parades en poussant des barrissements, des couinements, des clappements et des borborygmes. Chaque mouvement est relié à l'autre. Un micro placé au sommet de son crâne permet au public d'entendre distinctement la voix qui ponctue ses performances.

Immobile dans le fauteuil, je bats intérieurement la mesure. Je sens que Mo va relever le défi. Elle ne commet aucune erreur, aucun faux pas. Elle se souvient de chaque geste. J'ai toujours su qu'elle était extraordinaire. Elle en fait la démonstration au monde entier ! Je pense à tous les êtres qui ont compté pour moi : Joseph, Katrina, Gertie, Curpo, Sian, Kalli Gooma, Kelly Hanson, la Poigne. Sur

Terre et dans les cieux, nos cœurs battent à l'unisson et accompagnent Mo dans son exploit. Ce que nous nous sommes prouvé l'un à l'autre, ce que nous avons appris l'un de l'autre, l'amour, la confiance que nous avons échangés, tout cela culmine maintenant sur la piste du Madison Square Garden de New York. J'entends presque le rire de Mo, je perçois sa joie. Je la sais consciente de la fascination qu'elle exerce sur le public. Évanouis les typhons, les rafales de mitrailleuse, les brigands qui ont essayé de la capturer, il n'y a plus que l'énergie joyeuse de milliers de gens assis sur les gradins, tous conquis par la grâce lumineuse qui émane de l'éléphante. La lumière s'estompe. Un petit couinement nettement articulé gronde dans les haut-parleurs, puis le noir se fait.

Les projecteurs se rallument : blanc sur Mo, bleu sur moi. Les applaudissements retentissent à travers tout le chapiteau comme un roulement de tonnerre. Je quitte l'estrade. Sur la piste, je n'entends pas les hourras, les bravos, je serre Mo vigoureusement dans mes bras. Le petit couinement affectueux qui me répond, seule mon oreille peut le percevoir.

Mo lève la patte, je grimpe sur son dos et salue. À ce moment seulement, j'aperçois, debout, parmi les spectateurs, battant des mains, criant, exultant, Gertie et Curpo !

Gertie hurle : « Bram ! Bram ! » Elle articule silencieusement « je t'aime » pour que je le lise sur ses lèvres. Le public nous acclame jusqu'à ce que le rideau s'abaisse.

Aussitôt, je saute à terre. Gertie est déjà là. Elle se love dans mes bras. Je l'embrasse, mon premier et grand amour ! Nous restons enlacés en pleurant doucement pour que coule, s'écoule toute la souffrance accumulée au cours de ces années de séparation.

Quelqu'un m'agrippe la jambe.

Curpo !

Je tombe à genoux, l'embrasse en lui collant un gros baiser sur chaque joue.

— Eh ! oh ! T'es pas devenu un peu louf, des fois ? En voilà des façons d'accueillir un monsieur ! Relève-toi, tu vas me faire rougir !

Mo sautille et barrit de joie. Elle les a reconnus tout de suite. Elle couine et frétille, enroule sa trompe autour de Gertie et produit son borborygme familier.

— On t'aime, Mo ! crie Gertie. (Puis elle lui chuchote à l'oreille :) Merci de me l'avoir gardé entier !

Mo ramasse Curpo et ouvre la bouche très grande comme si elle voulait le manger, puis le repose en poussant une série de couinements affectueux.

Dans la roulotte, nous parlons et discutons sans pouvoir nous arrêter. C'est à peine si j'entends frapper. Je vais ouvrir. C'est M. North. Un mince sourire cordial effleure ses lèvres étroites et sèches.

— Bravo, mon garçon, vous avez réussi.

Il touche le bord de son chapeau pour saluer Gertie, ignore Curpo et repart dans l'obscurité. L'hommage fut bref, mais correct.

Curpo parti, je me retrouve en tête à tête avec Gertie. J'avais quitté une toute jeune fille et je découvre une splendide jeune femme. Je suis enchanté, intimidé, amoureux tout à la fois.

Le lendemain, je vais trouver Jack North. Je trouve un homme froid mais cordial. Il m'octroie une roulotte plus spacieuse, un chèque de prime et une augmentation de salaire. Il ajoute une boîte de chocolats pour souhaiter la bienvenue à Gertie. Je profite du succès pour lui demander du travail pour elle.

— Il y a un quatuor d'alezans dirigés par des écuyères blondes. Votre amie sera chargée de l'organisation, des costumes, des programmes d'entraînement, dit North.

— Parfait ! Gertie connaît les chevaux et sait les soigner. Et pour Curpo ?

Pour Curpo, North n'envisage rien d'autre qu'un bref numéro d'exhibition comme *freak* au titre de l'« homme le plus petit du monde ».

— Ton patron, réagit Curpo, est un homme humiliant qui a toujours besoin de se sentir au-dessus des autres ! Je refuse ! Je ne suis pas un phénomène !

Je retourne auprès de Jack North.

— Je veux que Curpo travaille avec moi, monsieur North.

— Pour quoi faire ?

— Pour m'aider à m'occuper de Mo.

— Elle va l'écrabouiller ! Moi-même, qui ne suis pourtant pas un pachyderme, j'ai du mal à le distinguer tellement il est minuscule !

— Curpo est excellent avec les éléphants. Il a été mon assistant en Allemagne. Il a mis Mo au monde. C'est vous dire s'ils se connaissent !

— J'ai dit non.

— Et si je le laissais jouer dans le numéro ? Le public sera ravi de voir un éléphant géant avec l'homme le plus petit du monde !

Jack North s'arrête net. En un dixième de seconde, il voit le profit qu'il peut tirer de Curpo.

— Hmmmm, oui, fait-il en guise d'acquiescement.

Dès le lendemain, Curpo se met au travail. Je suis heureux : ma « famille » est réunie autour de moi. On ne se quittera plus jamais.

Mesdames et messieurs, enfants du monde entier, le cirque North est fier de vous accueillir au mariage du célèbre dresseur d'éléphants Bram Gunter et de sa fiancée Gertie Baron !

L'orgue à vapeur entonne la « Marche nuptiale ». Le rideau s'ouvre sous les projecteurs. Six femmes acrobates vêtues de fourreaux en lamé argenté entrent sur la piste. Elles longent le cercle au pas cadencé. Des écuyers jaillissent sur leurs chevaux resplendissants. Puis viennent les trapézistes, les clowns, les jongleurs, les funambules, et tous les éléphants de la ménagerie.

Les plus petits gambadent en poussant des cris aigus, les grands défilent deux par deux, par ordre croissant de taille. Quarante-deux en tout, revêtus de leurs casques dorés, accompagnés de leurs dresseurs.

Un roulement de tambour résonne. Une sonnerie de cors retentit, les rideaux s'écartent : Mo apparaît, la trompe dressée ; on dirait une divinité. Gertie est installée sur un magnifique palanquin rouge et or pailleté. Sa magnifique chevelure châtain-roux, soyeuse, chatoyante flotte autour d'elle. Elle porte une robe de soie blanche et la traîne retombe par-dessus la croupe de Mo. Je suis debout derrière elle, splendide dans un costume de velours blanc. Le devant de ma chemise et de mon pantalon est piqueté de centaines de strass minuscules. Quant à Mo, elle est en queue-de-pie et nœud papillon, les défenses dorées. Les projecteurs nous balaient tous les trois, sous des salves d'applaudissements.

Mo salue le public en poussant un barrissement tonitruant. Elle se place près d'un escalier de verre élevé au centre de la piste. Gertie descend les marches. En bas, un prêtre et les témoins nous attendent.

Nous nous embrassons. Des centaines de colombes blanches, roses et bleues s'envolent en tournoyant vers le sommet du chapiteau. Notre amour, éclos bien des années auparavant, peut, lui aussi, prendre son envol.

Le soir même, nous prenons l'avion pour l'Allemagne. J'ai envie de revoir les lieux de mon enfance. De son côté, Gertie veut embrasser ses parents, très âgés. D'autres raisons plus intimes nous poussent à retourner chez nous. Les extrémités du fil qui nous relie ont besoin d'être solidement attachées pour ne plus jamais se défaire. Nous avons la conviction que notre amour sera heureux s'il devient infini et cyclique. Voilà pourquoi nous éprouvons le besoin de revenir au berceau de notre amour.

Nous disposons de très peu de jours. À Francfort, nous louons une voiture et roulons immédiatement vers la ferme. La journée est froide, le ciel couvert de nuages, mais j'aperçois le toit de la vieille maison à des kilomètres. Tout est resté comme dans mes souvenirs. À peine descendu de voiture, je cours vers la grange. J'entre dans la stalle où Mo a vu le jour. Elle est froide, humide, à l'abandon.

La maison est vide. Je ne m'y attarde pas. J'ai trop de peine. Nous nous promenons dans la campagne en cueillant des fleurs. Le lendemain, nous passons la journée chez les parents de Gertie. Je revois la chambre où je lui avais fait mes adieux, un soir glacial.

Le troisième jour, nous nous rendons au cimetière fleurir les tombes de mes parents. Et, le dernier jour, nous allons au lac Cryer. Les corbeaux plongent en rase-mottes comme s'ils nous reconnaissaient. Je serre fort Gertie contre moi.

Les deux extrémités du fil sont définitivement attachées.

Nous menons notre vie d'artistes. Le cirque se déplace de ville en ville.

Un jour, au cours d'une représentation, je constate que Mo ne se sent pas bien. Sa prestation est laborieuse. À la ménagerie, les dresseurs constatent eux aussi que leurs éléphants manifestent des troubles du comportement. Le vétérinaire appelé en urgence ne trouve rien de suspect. Le lendemain matin, quatre éléphants sont couchés, et cinq autres, atteints de mauvaise diarrhée, refusent de s'alimenter. J'appelle personnellement le vétérinaire. En discutant avec lui au téléphone, je me rends compte qu'il n'y connaît rien. Son domaine de compétence se limite aux chiens et aux chats.

J'appelle alors le directeur du zoo le plus proche. Il est vétérinaire et accepte de se déplacer. Très sérieux, il examine les quarante-deux éléphants de la ménagerie : leurs yeux, leurs oreilles, leurs trompes, leurs réflexes ; il prend des échantillons de sang et d'urine. Enfin, il convoque les dresseurs et annonce :

— Vos éléphants ont été empoisonnés.

Stupéfaits, nous l'entourons.

— Quel est le diagnostic ? demande Neil, le dresseur-chef.

Le docteur secoue la tête.

— Je ne veux pas vous mentir. Nous aurons de la chance si nous en sauvons la moitié.

Quelqu'un réagit violemment.

— C'est impossible ! Comment pouvez-vous dire cela ?

— Comment ont-ils pu avaler du poison ? s'interroge Neil.

— Peut-être avec de la nourriture avariée, suggère Curpo.

— Non, lui répond le docteur, la substance toxique est trop concentrée. On leur a fait une injection de poison ou bien on a mis une dose massive de poison dans leur nourriture.

Neil réfléchit à haute voix.

— La personne qui leur a injecté du poison connaissait le poids de chaque bête.

Le vétérinaire déroule ses manches et se dirige vers un lavabo où il se lave soigneusement les mains. Il range les pipettes d'échantillons dans sa mallette.

— Nous en saurons davantage quand nous aurons isolé le poison au laboratoire, dit-il. Mais, à mon avis, comme ils sont tous atteints, le poison a dû être mélangé à leur nourriture.

— Qui diable pourrait avoir l'idée d'empoisonner des éléphants ? se demande un dresseur.

— Qui peut faire un truc pareil ? renchérit un autre.

— Un cinglé. Quelqu'un qui déteste les éléphants, suggère le vétérinaire.

— Ou une personne qui veut nuire au cirque. Je pense à quelqu'un qui a perdu son travail récemment, suggère Neil.

Étonné, je le prends à l'écart.

— Que veux-tu dire ?

— Eh bien, il y a environ deux semaines, j'ai licencié un manœuvre qui avait bu un coup de trop. Il était entré dans la ménagerie et il s'était mis à cogner sur les éléphants.

— Pourquoi n'en as-tu parlé à personne ?

— Écoute, Bram, beaucoup de types profèrent des menaces quand ils ont bu. Je l'ai licencié. J'ai fait ce que j'avais à faire. Je ne l'ai plus jamais vu traîner ici. Je vais demander à M. North d'appeler la police pour qu'elle se renseigne à son sujet.

— Bonne idée !

Nous rejoignons le vétérinaire.

— Que pouvons-nous faire ?

— Le traitement sera différent selon la gravité de chaque cas. J'aurai besoin de toute l'aide possible. Ça va être un gros travail, vu le nombre d'éléphants. Une fois que nous aurons trouvé l'antidote et le dosage, il faudra assurer un tour de garde vingt-quatre heures sur vingt-quatre.

Prévenu, Jack North est affolé.

— Quarante-deux éléphants empoisonnés ! Mais assurer un tour de garde vingt-quatre heures sur vingt-quatre, ça va mobiliser tout le cirque ! C'est une terrible nouvelle ! Je suis ruiné. Les éléphants vont me mettre sur la paille.

Il fait placarder un avis sur la porte principale : « Le numéro des éléphants est supprimé pour cause de maladie. »

La nouvelle est diffusée dans les journaux, les radios. Des centaines de personnes téléphonent aussitôt pour proposer leur aide. Un chapiteau-infirmerie est dressé derrière le cirque. On recouvre le sol d'une épaisse couche de sciure.

— Comment se fait-il qu'ils ne soient pas tous atteints ? demande Curpo au directeur du zoo.

— Peut-être s'est-il trouvé à court de poison...

Le cinquième jour, le docteur me fait appeler d'urgence.

— Mo s'est couchée !

— Mais, hier, elle s'est remise à manger !

— Elle est étendue de tout son long. Son état empire à vue d'œil.

Je découvre Mo affalée dans la sciure. Elle respire difficilement et une bave jaunâtre s'écoule de sa gueule.

— Nous lui avons fait un lavage d'estomac, une perfusion de sérum physiologique, mais son organisme ne réagit pas, m'explique le vétérinaire.

Agenouillé près de Mo, je la caresse, l'examine.

— Pourtant, elle n'avait pas l'air si mal en point hier.

— Bram, le poison peut prendre un certain temps avant de se répandre dans l'organisme. Rappelez-vous ce que j'ai dit sur la différence entre les éléphants. Certains résistent, d'autres sont terrassés.

Je ne dors plus, je ne suis pas rasé, j'ai les yeux rouges, les cheveux dépeignés, je bondis sur le médecin, je l'agresse presque.

— Il doit y avoir d'autres traitements possibles. Cherchez-les ! Vous êtes vétérinaire, c'est votre métier !

— Il n'y en a pas. Je lui ai donné tous les antidotes connus. Il n'y a rien d'autre à faire. Je suis désolé.

Le ventre de Mo est brûlant. Le poison accomplit son œuvre. Elle ne mange plus, boit avec peine. J'essaie de communiquer avec elle comme je l'ai appris à l'éléphantérium.

Je ne peux pas envisager de perdre Mo. Je pense aux éléphants morts dans la montagne, leur souvenir me hante.

Le jour suivant, seize éléphants perdent la vie. Des camions fermés viennent chercher leurs carcasses. On les transporte dans une décharge. Leurs cadavres sont enterrés sous des détritus.

Le vétérinaire appelle des laboratoires spécialisés aux quatre coins du pays. Il fait apporter des équipements spéciaux pour étudier le poison sur place. Quand la fatigue le submerge, il va dormir une heure ou deux dans ma roulotte. Il fait de son mieux pour sauver les éléphants.

Le matin du septième jour, il convoque tous les dresseurs.

— Le poison est violent, dit-il, mais, comme il agit lentement, nous avons eu l'occasion d'essayer différents antidotes. Nous avons tous constaté qu'aucun remède n'a marché. Les effets du poison sont maintenant à leur maximum. Bien peu d'éléphants, peut-être aucun, seront capables d'y résister.

Je me tiens contre Mo et je l'écoute respirer péniblement. Le vétérinaire s'adresse à moi.

— Bram, la cavité péritonéale est envahie par des liquides que nous avons été incapables de drainer.

Il me tire à l'écart pour me dire :

— Je crois qu'il est temps que vous l'acceptiez : Mo est mourante.

— Non ! Non ! Non ! Il y a sûrement quelqu'un qui peut la sauver !

— Bram, nous avons tout essayé.

Je me couche contre Mo, lui parle, la caresse. Elle me surveille sans cesse. Ses yeux me fixent. Nous essayons de nous parler. Apparemment, elle souffre peu. Mais, quand son estomac se contracte soudainement, elle a des nausées, des brûlures et des tiraillements épouvantables.

— Encore combien de temps, doc ?

Le vétérinaire ausculte la trompe.

— Elle sera partie d'ici au matin.

Comment empêcher un être vivant de mourir ? Je cherche l'ultime recours : des remèdes ? le repos ? le silence ? la foi ? la prière ? une intervention chirurgicale ? Si l'esprit peut engendrer la maladie, il doit bien pouvoir engendrer la santé.

L'aube approche. Un brouhaha provient de l'entrée du chapiteau. Un groupe d'hommes discute. Je cours les rejoindre.

— Ils ont attrapé le type ! me dit un gars. North est parti au quartier général de la police pour engager les poursuites. Le dresseur-chef est avec lui. D'après ce que j'ai compris, le cinglé a été professeur en... je ne me rappelle plus le mot, entomologie, je crois.

— Qu'est-ce que c'est ? demande quelqu'un.

— L'étude des insectes, intervient le vétérinaire.

Un idée me traverse l'esprit.

— Des insectes ! Peut-être a-t-il utilisé un poison sécrété par un insecte ?

Le vétérinaire fronce les sourcils.

— C'est possible. Nous étions sûrs qu'il s'agissait de curare ou de nicotine, ou du botulisme, mais nous n'avons jamais pensé à un poison d'insecte.

Un manœuvre accourt, hors d'haleine.

— Un appel pour le véto ! Un type de la police !

Le « véto » se précipite vers le téléphone. Je me presse contre lui pour essayer de suivre la conversation. Au même moment, Gertie apparaît dans le couloir. Le médecin raccroche. Ses traits animés ne portent plus le masque du désespoir.

— Ils ont réussi à analyser le poison ! L'antidote est disponible dans un laboratoire entomologique qui se trouve à une heure d'avion d'ici ! Ils nous l'envoient !

— Quand ? demande Gertie.

— Tout de suite !

— C'est génial, Mo est sauvée !

Je serre Gertie dans mes bras. Le vétérinaire pose la main sur mon épaule.

— Bram, ces éléphants sont terrassés depuis plusieurs jours ; certains ne s'en sortiront pas, même avec le vaccin. Ils sont trop épuisés.

— Mo tiendra le choc !

— Je l'espère, répond le vétérinaire en baissant la tête.

L'hélicoptère se pose sur l'esplanade qui jouxte le cirque. Trois médecins armés de seringues hypodermiques administrent aux éléphants des injections d'antidotes. Pour deux d'entre eux, il est déjà trop tard, ils ont cessé de respirer. Leurs énormes ventres se sont immobilisés. La doyenne, Bertha, est à son tour terrassée.

Mo cligne des paupières pour me dire qu'elle est toujours en vie. Mais ses grognements de douleur sont de plus en plus fréquents. Elle retient sa respiration, dodeline de la tête. La douleur se calme un peu, jusqu'à la crise suivante. Curpo, à cheval sur son dos, la réconforte en la caressant.

— Mo, lui dis-je, tu en as déjà tant vu dans ta vie, je ne veux plus que tu souffres. Peut-être est-il temps que tu te reposes. Peut-être est-il temps que tu partes dans l'autre monde. Je ne supporte plus de te voir dans cet état. Je préfère que tu t'en ailles plutôt que de te voir continuer à souffrir.

Soudain, j'entends Mo pousser son borborygme familier. Je colle mon oreille contre son estomac. Aucun doute, le petit grondement part de son ventre. Mo me parle ! Mo essaie de me faire comprendre quelque chose ! Je bondis sur mes jambes, surexcité.

— Curpo ! Viens ! Descends !

— Qu'est-ce qui ne va pas ? demande Curpo en glissant à terre.

Je jette des regards éperdus autour de moi en criant :

— Kelly ! Kelly ! Où es-tu ?

Gertie se précipite vers moi.

— Bram ! Qu'est-ce que tu as ?

— J'ai besoin de Kelly tout de suite !

Quelques instants après, il arrive avec quelques hommes.

— Kelly, mon ami, toi et les autres, mettez-vous derrière Mo, et, quand je vous le dirai, poussez pour l'aider à se soulever !

Sept hommes se placent derrière l'éléphante.

J'entends son estomac commencer son travail. Mo grogne et se balance.

— Maintenant !

Mo se balance avec plus d'insistance. Le vétérinaire arrive et se place au milieu des hommes.

— Plus fort !

Mo lève peu à peu les pattes.

— Encore ! dis-je, poussez, maintenant ! Fort !

Mo se rétablit sur la poitrine, replie ses pattes et prend la position du sphinx. Ce mouvement est salué par des applaudissements et des cris de joie.

Le vétérinaire est époustouflé.

— Je ne comprends pas, je ne comprends pas, répète-t-il. Je suis médecin. Je sais que les fonctions de la cavité péritonéale fonctionnent normalement dans cette position et que sa circulation s'améliore. Mais elle, elle ne peut pas le savoir ! Pourtant, elle s'est guérie toute seule et l'antidote a fait le reste !

Le vétérinaire prend la température de Mo et lève des sourcils étonnés.

— Elle baisse ! Cette éléphante sait donc ce qui est bon pour elle ?

Gertie se jette dans mes bras, puis dans ceux de Kelly, et serre bien fort la trompe de Mo. Curpo dédaigne ces manifestations de joie exubérantes jusqu'à ce que Gertie lui colle un baiser sur chaque joue. Puis, mon épouse, spontanément, prend la main du vétérinaire et la place sur le front de Mo.

— Sentez, docteur ! Elle en a là-dedans ! Mo est intelligente !

Nous avons pensé faire revenir la dépouille de Sian au village. Mais nous savons que tu as choisi cet arbre pour elle et nous respectons ta volonté. Ainsi, nous avons érigé un monument à l'endroit où toi et Sian vous vous êtes rencontrés la première fois. Nous pensions que vous auriez aimé cet emplacement. Ma fille t'aimait de tout son cœur et cet amour l'accompagnera toujours où qu'elle soit. Tu nous manques, Bram, fils spirituel du maharadjah. Reviens nous voir un jour. Nous te portons dans nos cœurs, toi et ton épouse, Gertie.

Ta seconde famille,
Ya

Les parents de Sian m'écrivent régulièrement depuis dix ans. Le chagrin n'a jamais quitté leur cœur. Je montre la lettre à Gertie.

— C'est très touchant qu'ils aient construit ce monument, dit-elle en me rendant la lettre.

— Cela me semble loin, maintenant.

— Ils ne te manquent pas ?

— Oh, je pense parfois à eux : les éléphants, la forêt de tecks, et je réfléchis souvent à tout ce qui est arrivé. Le passé nous rend plus forts, et ce qui renforce ne rend pas plus triste.

— C'est une jolie façon de voir la vie.

— Tout est lié, Gertie. Chaque moment est lié au suivant et le temps est la trame de notre vie. Tout ce qui advient doit advenir pour nous aider à mûrir et à devenir meilleur.

Les épreuves m'ont formé. Je mesure l'immaturité de ceux qui prétendent que tout est compétition. Je refuse de prendre part à la lutte pour le sommet. J'habite avec Gertie une roulotte magnifique qui vaut tous les appartements. Pourquoi désirer toujours plus ?

Un soir, en Floride, le public vient nombreux, l'ambiance est joyeuse, turbulente. Les éléphants terminent la grande parade lorsqu'un tourbillon de fumée monte au-dessus du couloir de l'entrée. Personne ne s'en alarme. Un manœuvre va faire le nécessaire pour éteindre ce départ de feu. Les artistes se préparent dans la coulisse pour le prochain numéro.

Le panache de fumée dérive maintenant sur la tête des spectateurs et s'échappe vers le haut du chapiteau.

— Au feu ! crie une personne dans le public.

Debout sur les gradins, les spectateurs cherchent à voir d'où vient l'incendie. Le spectacle est interrompu. Une voix résonne dans les haut-parleurs.

Votre attention, s'il vous plaît. Que chacun gagne la sortie située de l'autre côté du chapiteau. Veuillez gagner calmement la sortie. Un petit incendie s'est déclaré dans un couloir. Pour votre sécurité et la sécurité des animaux, nous vous demandons de sortir par la porte opposée. Merci.

La fumée, qui s'accumule dans tout le chapiteau, forme un épais brouillard qui désoriente les spectateurs. Ils ne savent où se diriger.

— Où est la sortie ? lance un homme.

— Par ici ! hurle quelqu'un.

— Non, par là ! répond un autre.

— On ne voit rien du tout !

Les gens toussent, les enfants se mettent à pleurer. La fumée devient dense, noirâtre. Bientôt, la panique s'empare de la foule. Des bousculades se forment comme des vagues, avec des échanges de coups de poing. Les spectateurs se pressent les uns contre les autres. Des femmes tombent à terre, piétinées par la foule désemparée. Rien ne semble avoir été prévu par la direction du cirque pour évacuer le public dans une circonstance semblable. Je suis dans la coulisse avec Mo et Curpo.

— Ils vont tous brûler vifs ! s'écrie Curpo.

Avec Mo, j'entre sur la piste en criant de toutes mes forces :

— Ne paniquez pas ! Suivez l'éléphant ! Suivez l'éléphant ! Il connaît la sortie ! Accrochez-vous à sa queue ou à sa couverture ! Suivez l'éléphant !

— Mes enfants ! crie une femme.

J'attrape les petits qui sont à ma portée et je les installe sur le dos de Mo en leur recommandant de bien s'accrocher à la couverture. J'en compte bientôt une bonne douzaine qui se tiennent blottis sur le pachyderme.

— En avant, Mo !

Elle se dirige vers la sortie au milieu des tourbillons de fumée.

À ceux qui nous suivent, je lance :

— Retenez votre respiration aussi longtemps que possible !

L'odeur est âcre, étouffante, les gens s'accrochent les uns aux autres, on ne voit rien. Mo avance d'instinct vers les rabats relevés du chapiteau. Elle marche avec précaution. Une grappe humaine est pendue à elle. Par-devant, par-derrière, sur les côtés. Il s'agit de n'écraser personne. Les enfants en larmes sur son dos tiennent en équilibre comme ils peuvent.

Enfin, Mo émerge de l'immense tente comme une locomotive débouchant d'un tunnel. Ses pattes foulent le gazon de la pelouse qui entoure le chapiteau. Elle barrit, chancelle et s'affale dans l'herbe.

Sa respiration siffle. Elle secoue la tête pour se débarrasser de la fumée qu'elle a avalée. Elle s'étrangle. De l'air et de la fumée jaillissent de sa trompe. Moi aussi, je tousse et suffoque. Les gens vomissent. Beaucoup restent étendus, inertes. Mo et moi sommes recouverts d'une épaisse couche de suie qui se transforme en liquide noir et ruisselant comme de la boue.

Gertie va et vient sûr la pelouse dans une course désordonnée. Elle me cherche. Ma gorge irritée me permet juste d'émettre un pitoyable « par ici, Gertie ! ».

Elle m'a entendu. Aussitôt, je lui demande :

— Et Curpo ? Tu as vu Curpo ?

— Il n'est pas avec toi ?

— Il est resté là-dedans ! Oh, mon Dieu !

Des spectateurs sortent du chapiteau en portant des enfants dans les bras. Ils affluent encore très nombreux. Jamais je ne parviendrai à fendre cette foule compacte qui se déverse hors de la tente. Mo, grâce à sa taille et à son volume, peut le faire.

— Debout, Mo !

Elle se relève, les yeux larmoyants à cause de la fumée. Je grimpe sur son dos.

— Gertie, tends-moi cette bâche, là, devant toi, s'il te plaît !

Avec son aide, j'étale la bâche en toile sur le dos de l'éléphante.

— Maintenant, Gertie, arrose-nous !

Elle dirige un jet d'eau sur nous.

Complètement trempés, nous rentrons sous le chapiteau. Un souffle brûlant me frappe au visage. La fumée s'est amoncelée en hauteur, le feu court sur le toit de toile, les gradins se consument. Mo lève une patte pour enjamber un corps. Je glisse à terre, agrippe Mo par l'oreille et la guide vers la coulisse. L'accès est obstrué par un épais rideau de fumée. Nos yeux pleurent.

— Curpo ! Curpo ! Où es-tu ?

J'ai très mal à la gorge. J'appelle, j'appelle. Je n'ai plus qu'un filet de voix. Mes cris sont couverts par les hurlements déchirants des personnes saisies par les flammes. Au loin, les animaux terrifiés leur répondent. Le rugissement des fauves est particulièrement terrible.

Les poumons douloureux, je n'arrive plus à respirer, j'étouffe carrément. La main sur la poitrine, je m'effondre. Mo me relève avec sa trompe. Je retombe encore. Elle me redresse à chaque fois. Cette fois, je n'en peux plus. Mo barrit très fort pour m'avertir. Extraordinaire ! Elle porte Curpo, enroulé dans sa trompe ! Elle le tient le plus bas possible de façon qu'il puisse respirer l'air moins enfumé au ras du sol. Je m'accroche tant bien que mal à la couverture pour me hisser sur son dos.

— En avant, Mo !

Une violente explosion éclate. Les gens ont relevé les rabats du chapiteau pour s'échapper plus vite et le feu a trouvé là un second souffle. Toute la sortie est transformée en un mur de feu. Les malheureux qui se trouvaient encore sous la tente brûlent vifs instantanément.

Mo pousse un barrissement furieux et se rue dans les flammes vives. Elle réussit à franchir la fournaise, surgit dehors, hurlant de douleur, les chairs en feu. La couverture brûle, mes vêtements aussi. Mo titube sur une vingtaine de mètres et s'écroule sur l'herbe du terre-plein.

Les manœuvres se pressent pour étouffer les flammes avec des couvertures. La pelouse est envahie par les camions des pompiers et les ambulances.

De son côté, Gertie a tenté de sauver les chevaux. Elle a déchiré des pans de sa robe pour faire des bandeaux aveuglants et guider plus facilement les animaux à l'air libre.

Le visage couvert de suie, les vêtements en lambeaux, elle s'agenouille près de moi.

— Bram ! Réponds-moi ! Ça va ?

Un pompier applique sur mon visage un masque à oxygène. Curpo subit le même traitement. Gertie éclate en larmes : le pouls de Curpo ne bat plus. Elle pousse un autre cri, rempli d'angoisse : Mo gît, comme morte. Sa tête, ses défenses, sa trompe sont à moitié immergés dans une couche de boue que l'eau des lances à incendie a formée autour du cirque. L'odeur de sa chair brûlée empuantit l'atmosphère. Les nerfs de Gertie craquent : Curpo et Mo sont en train de mourir ! Je suis anéanti, incapable d'agir. Une voix chaleureuse nous enveloppe.

— Les amis, je suis là !

Kelly apostrophe plusieurs hommes.

— Toi, redresse la tête de l'éléphant ! Et toi, apporte-moi un masque à oxygène !

Les hommes soulèvent la tête de Mo pour lui permettre de respirer. Kelly enfonce le masque dans la gueule. Il en sort des petites bouffées de fumée.

Guidés par la voix de Kelly, les hommes pressent l'énorme ventre de Mo en cadence afin d'expulser la fumée et de l'aider à inspirer de l'air frais. Kelly tente cette opération sans savoir si elle va réussir. Après quelques minutes, Mo se met à tousser ! Elle manifeste son désir de se relever.

Kelly connaît la manœuvre. Il demande aux sauveteurs d'aider l'éléphant à lever ses quatre tonnes en poussant. Mo parvient à se mettre sur ses pattes. Je sens l'extrémité de sa trompe qui palpe mon visage. Elle pousse un petit gloussement satisfait. Puis elle enroule sa trompe autour des épaules de Gertie et la serre contre elle.

Curpo n'a pas repris connaissance. Ses poumons ont avalé trop de fumée. Les infirmiers le transportent sur une civière.

À l'expression de Gertie et à ses larmes qui inondent ses joues, j'ai compris. Nos regards se fixent sur le véhicule de secours qui emporte notre ami. L'ambulancier n'a pas déclenché la sirène. Elle serait inutile.

Comment Curpo vivait-il son handicap ? Nous n'en parlions jamais. Il travaillait avec mon père au Wunderzircus. À la ferme, il dormait dans la grange avec les animaux. Il ne s'est jamais marié. Les problèmes, les questions, les interrogations, il n'y en avait que pour moi, ou pour nous, les Gunterstein, jamais pour Curpo. Il nous a donné le meilleur de lui-même : sa fidélité, sa loyauté, son courage, sa compréhension. Quand je suis parti, je lui ai demandé de veiller sur ma mère. Je lui faisais une confiance absolue. Curpo n'a jamais fait défaut, jamais trahi. Le jour de l'incendie, je n'ai pas su être là quand sa vie était en danger. Aurais-je pu faire quelque chose ? Les gens hurlaient, désemparés. C'était terrible. Il fallait leur porter secours. Je n'ai pas pensé à Curpo sur le moment. Je ne sais pas si j'aurais pu le sauver. Je sais que lui a toujours été là, pour moi, quand il le fallait.

Curpo était un homme meilleur que moi.

Trente personnes, y compris des enfants, ont péri dans les flammes de l'incendie. Des poursuites judiciaires ont été lancées contre Jack North. Le cirque a dû fermer ses portes.

North s'est débarrassé des artistes dont le numéro pouvait être aisément remplacé par d'autres le moment venu. Gertie a perdu son travail ainsi que Kelly, qui a retrouvé un emploi dans un ranch du Midwest.

Toujours par souci d'économie, North m'a confié la responsabilité des éléphants. Neil, qui a travaillé pendant dix ans pour le cirque North, me rend responsable de son licenciement.

— Tu peux être fier de toi, Bram Gunter ! Tu peux te vanter d'avoir fichu par terre dix ans de carrière ! Si j'avais su que North voulait le genre de numéro que tu fais avec Modoc, je l'aurais fait moi-même ! Pourquoi North ne m'a-t-il pas confié Modoc ? Pourquoi ne t'a-t-il pas renvoyé ? Quand je pense que je suis viré et que tu vas t'occuper de mes éléphants ! Je te conseille de ne plus jamais te trouver sur mon chemin !

Que répondre ? Je n'allais pas abandonner Mo pour que Neil conserve son emploi. L'incendie du cirque a été une tragédie. Les conséquences ont certes été injustes pour les artistes, mais elles l'ont été surtout pour les parents des spectateurs qui ont péri dans les flammes. Jack North s'est battu pour sauver le cirque d'une catastrophe financière. Son attitude vindicative a choqué les familles des victimes. Il a gagné les procès de façon déloyale. Par exemple, les notes d'hôpital ont été payées par les victimes de l'incendie alors qu'elles auraient dû l'être par le cirque. Certaines personnes ont été mises en faillite personnelle. D'autres ont reçu des dédommagements dont le montant ne couvre pas les salaires versés aux avocats.

Et North a obtenu l'autorisation de rouvrir le cirque. Il a planté les chapiteaux dans une ville du Sud où le climat est toujours doux. Avec Gertie, je passe les soirées à évoquer le bon vieux temps, comme si les années heureuses étaient définitivement derrière nous. L'absence de Curpo nous est cruelle. Il incarnait les beaux jours de notre vie, les années d'enfance en Allemagne.

Mo garde des cicatrices de l'incendie. La peau de son dos est marquée de plaques bordées de gros bourrelets. Jack North exige qu'elle porte une couverture quand une personnalité visite le cirque et la ménagerie.

Peu à peu, il rachète des numéros de dressage et reprend contact avec les artistes licenciés. Les affaires reprennent. La soirée d'ouverture est une réussite. Le spectacle tourne. Les recettes rentrent. Jack North passe un accord avec une société ferroviaire. Désormais, le cirque voyage dans des trains spéciaux. Les voyages étapes sont plus agréables. Gertie et moi reprenons confiance.

La scène ressemble à un cauchemar. Elle se passe dans une ville située au nord de l'État de New York. C'est la nuit. Un ivrogne échappe à la vigilance des gardiens. Il s'introduit dans le chapiteau des éléphants. Il tient une bouteille de whisky dans une main, de l'autre, il ramasse un crochet.

— Salut, nos amies les bêtes ! Comment ça va, hein ? Vous voulez boire un coup avec un pote ? Mais chut ! ne dites à personne que je suis là.

Il s'approche de Mo.

— T'as soif, toi, la grande ?

Il entre en titubant dans la stalle, perd l'équilibre et s'effondre sur une meule de foin.

— Je ne me sens pas très bien d'un seul coup, lui dit-il. J'ai un sérieux coup de grisou. Je vais m'asseoir un moment chez toi, si tu le permets. Et si tu le permets pas, tu vois, hein ? tu vois ça ? C'est un vilain crochet. Alors, toute grande vedette que t'es, t'avise pas de m'embêter, sinon, gare !

Mo barrit. L'homme se dresse à la verticale sur des jambes flageolantes, il avance en fléchissant les genoux, lève le crochet.

— Grosse insolente ! Je vais t'apprendre la politesse !

Il plante le crochet dans le menton de Mo.

— Je vais te mettre au pas !

Mo lui donne un petit coup de trompe, et l'homme se retrouve par terre.

— Dis donc, c'est pas très gentil de faire ça ! Je vais t'apprendre les bonnes manières, moi !

Mo sent que l'homme lui veut du mal. Il attend quelque chose d'elle, mais quoi ?

Il ramasse le crochet, fonce tête baissée en essayant de frapper l'animal. Elle recule, esquive les coups. L'homme se retrouve une nouvelle fois le cul sur le foin.

— Viens, qu'j'te dis !

Cette fois, il change de tactique. Il rampe en tournant autour d'elle comme un rat. L'éléphante l'observe attentivement. Subitement, il lui écorche le flanc. Elle mugit. Il recommence et la lacère sur vingt centimètres.

Mo essaie d'arracher ses chaînes. L'ivrogne continue à frapper de plus en plus fort et absurdement. Cette fois, il l'atteint en plein front, juste au-dessus de l'œil. Mo n'a jamais attaqué personne sans raison. Elle sait que cet homme lui veut du mal.

Il brandit le crochet comme un matador lève l'épée pour la mise à mort du taureau. Il fond sur elle. Elle redresse la tête très haut afin de parer l'assaut. Dans son mouvement, elle casse une chaîne.

Le visage de l'ivrogne ruisselle de sueur. Sa chemise est trempée. Mo devient de plus en plus agressive. Elle secoue la trompe, projette les oreilles en avant. Elle se prépare au combat. L'homme prend peur, il se recule, semble un instant renoncer, mais sa colère d'ivrogne est plus forte que sa conscience, il s'arme d'une fourche, gravite autour de l'éléphante, le crochet dans une main, la fourche dans l'autre.

— Olé ! grosse vicieuse ! Olé !

Il enfonce les dents de la fourche profondément dans une patte. Mo rugit de douleur. Le sang qui dégouline forme une mare glissante sous son pied. Elle ramasse une gerbe de foin et la jette dans la direction de son agresseur. La stalle s'emplit d'une nuée tourbillonnante de poussière.

L'homme jure, peste, menace, pointe ses armes et se jette sur elle en hurlant comme un possédé :

— Je vais te tuer, monstre de la nature !

Mo arrache la fourche et la brise. Puis elle s'empare de l'homme et le soulève en l'air. Fou de panique, il enfonce le crochet de toutes ses forces dans un œil.

Le crochet, planté dans l'œil, pend et se balance d'avant en arrière. Mugissant de douleur, Mo fracasse l'ivrogne sur le sol, pose une patte sur sa tête et le décapite.

Le forcené avait été autrefois une gloire du cirque. Il travaillait aussi bien avec les éléphants, les tigres, les chevaux que les taureaux des Bahamas. Il avait connu le succès en dirigeant d'une façon fantastique un manège de chevaux lippizans. Avec les éléphants, il avait la réputation de se montrer doux et ferme. Jusqu'au jour où sa compagne, une funambule, qui s'exerçait au-dessus de lui, s'est écrasée sur la piste au milieu des éléphants.

Il s'en prit aux animaux comme s'ils étaient responsables de la chute mortelle de son amie. Licencié pour brutalité, il garda contre les éléphants une rancune tenace. Il se mit à boire et à boire... et tomba dans l'extrême misère. Les gens qui l'avaient connu et estimé dans les grandes années de sa vie ont voulu m'expliquer que l'agression contre Mo était, de la part du misérable, une forme de suicide.

— L'œil est mort, me dit le vétérinaire. Elle ne reverra plus jamais.

Mo est étendue, immobile et paisible. Ses paupières fonctionnent normalement mais son œil reste blanc comme la craie.

Les journaux la présentent désormais comme une tueuse :

L'ÉLÉPHANT D'OR TUE UN HOMME :

D'autres la surnomment méchamment « la Borgne » et ajoutent avec ironie : UN ŒIL NOIR TE REGARDE.

Les mêmes journalistes qui l'encensaient quelques mois auparavant pour son courage, son dévouement, son intelligence la traitent aujourd'hui en paria parce qu'elle a osé se défendre. Les animaux n'ont pas le droit de verser le sang d'un homme.

— Je vends Mo, m'annonce Jack North. Elle est aveugle. Elle ne vaut plus le foin qu'elle me coûte !

Scandalisé, je m'écrie :

— Elle n'est pas aveugle ! Elle est borgne !

Il désigne les journaux étalés sur son bureau.

— Elle ne vaut plus rien pour le cirque.

— Elle a quand même sauvé des gens, ne serait-ce qu'au cours de l'incendie. Les journaux en ont parlé. On doit rétablir la vérité !

— Les gens oublient le bien, ils ne retiennent que le mal. Elle a tué un homme. Ils ne pourront plus la regarder se pavaner sur une piste de cirque. La fête est finie.

— Cet homme essayait de la tuer !

— Cet animal a révélé sa violence.

— C'est injuste, vous le savez bien !

— C'est comme ça.

— Si les journalistes sont injustes, pourquoi l'être à votre tour ? Un homme comme vous ne se soumet pas à l'humeur de girouettes. Il impose ce qui est juste et bon.

Il m'interrompt.

— Bram, vous délirez…

— Sans doute. J'essaie toujours de vous voir mieux que vous n'êtes.

— Votre immense amour pour cet animal m'indispose depuis des années. J'ai fini par le respecter parce que je respecte toujours ce qui me dépasse et me rapporte. Alors je veux être loyal avec vous. Je vends Mo. Je la vends au plus offrant. Vous êtes le premier à l'apprendre. Je vous écoute : combien ?

— Vous savez très bien que je n'ai pas l'argent.

— C'est très simple. Si personne n'en veut, vous l'aurez pour rien !

Dans la roulotte, nous nous creusons la tête, Gertie et moi, pour trouver une solution.

— Nous n'avons pas le choix, dis-je, il faut emprunter l'argent pour racheter Mo.

— Et comment on va faire pour l'entretenir ? demande Gertie.

— On trouvera.

— Imagine ce qu'elle va nous coûter rien qu'en nourriture ! Et où allons-nous habiter ? Et où la garderons-nous ?

— Gertie !

— Je suis réaliste, Bram.

— Tu veux dire que tu envisages de vivre sans Mo ?

— J'essaie d'y voir clair. J'essaie de prévoir l'avenir.

Le lendemain, je fais le tour des amis puis celui des banquiers. Résultat : les amis sont d'accord pour m'aider financièrement, mais les banquiers hésitent.

— Comment comptez-vous rembourser ? Vous ne pouvez pas gagner grand-chose avec une éléphante borgne qui a une réputation de tueuse.

Devant tant de réalisme, mes arguments tournent court. Jack North annonce la mise en vente. Les acheteurs éventuels ont peur : « Elle a tué. Elle peut recommencer. On dit que les bêtes sauvages qui ont tué un homme y prennent goût. D'ailleurs, elle a peut-être déjà tué, et son dresseur nous le cache. » D'autres pensent qu'elle ne travaillera jamais avec un autre dresseur que moi. La majorité des acheteurs s'accorde pour affirmer que séparer Bram Gunter de Modoc échappe au sens commun.

— Le sens commun ! s'exclame North. Mais c'est leur attachement ridicule qui échappe au sens commun. Je vends cette éléphante parce que je suis directeur de cirque et que cet animal est un produit. Un produit qui ne peut plus se produire ne vaut plus rien !

— Dans ce cas, lui répondent ses interlocuteurs, donnez cette bête à Bram Gunter. Après tout, vous en avez assez profité.

— Croyez-vous que je serais encore en mesure de diriger une entreprise de cette dimension si j'étais devenu gâteux au point de donner quelque chose qui m'a coûté autant ? J'ai couru les Indes pour récupérer cette éléphante ! J'ai accueilli Bram Gunter, de son vrai nom Bram Gunterstein. J'ai payé, encouragé, j'ai même applaudi l'artiste Gunterstein. Tant qu'il me rapportait de l'argent. Aujourd'hui, il m'en coûte, et donc je m'en débarrasse. C'est normal. C'est le bon sens.

Un manœuvre passe à la roulotte pour m'avertir que le patron me convoque dans son bureau. Je découvre un Jack North livide et exaspéré.

— La meilleure offre que j'aie reçue est de cinq mille dollars ! Je n'arrive pas à le croire ! Cette éléphante mondialement connue vaut cinq mille dollars ! C'est une pitié ! Enfin, c'est comme ça. Vous avez l'argent ou j'appelle l'usine d'aliments pour chiens ?

— On vous propose cinq mille dollars pour en faire de la pâtée pour chiens ? Et vous êtes d'accord ?

— Vous comprenez vite le monde des affaires, Bram...

— C'est vraiment dégoûtant !

— C'est régulier. Ils m'ont fait un prix au kilo. Ils sont venus la peser sur les balances qu'on utilise pour nos camions. Cinq mille dollars. Je suis très déçu ! Alors, je les appelle ?

— Ne vous donnez pas cette peine, je peux vous en donner autant qu'eux.

— Vous voulez dire plus ?

— Très bien, disons cinq mille cinq cents dollars.

— Vendu !

Grâce aux copains, j'ai pu réunir six mille dollars. Je quitte le bureau en sautant de joie.

Campé derrière la fenêtre, Jack North me regarde courir vers la roulotte pour annoncer la bonne nouvelle à Gertie. Ses lèvres dessinent un sourire sadique. L'appât du gain a longtemps calmé la haine qu'il a toujours eue pour moi. Aujourd'hui, elle refleurit sans que je puisse en mesurer l'ampleur tant ce sentiment m'est étranger.

La vente doit avoir lieu à la fin de la tournée, c'est-à-dire à la prochaine et dernière étape. Les artistes et le matériel partent par le premier train, les animaux dans le deuxième convoi.

— Ne t'en fais pas, Mo. Tout est arrangé. Pour le voyage, tu n'auras qu'à mettre la tête à la fenêtre pour regarder le paysage défiler. Tu aimes bien regarder les vaches. Il y en aura plein dans les champs.

Je colle un gros baiser sur son œil mort. Mo s'installe dans son wagon particulier.

Gertie et moi grimpons dans le train du personnel. Je n'aime pas être séparé de Mo, mais c'est l'histoire de quelques jours, le temps pour moi de trouver une maison avec un terrain.

Quelques jours plus tard, en Floride, Gertie et moi attendons l'arrivée du train de la ménagerie sur le quai de la gare. Le convoi arrive, stoppe. J'ouvre le wagon. Je n'en crois pas mes yeux : il est vide !

Où est Mo ? Un manœuvre, qui a un faible pour Gertie, nous renseigne en cachette. Au cours du trajet, nous dit-il, le train s'est arrêté dans une petite station, quelque part dans les monts Ozark. Il était deux heures du matin. Un léger brouillard flottait sur le dépôt. Tout était silencieux, hormis les freins desserrés qui sifflaient. Appuyé contre la roue d'un camion de déménagement, un type fumait le cigare.

La porte en métal d'un wagon de marchandises a coulissé. La silhouette d'un homme est apparue dans la lumière. Une rampe a été installée et une forme gigantesque est descendue du train. L'homme au cigare a ouvert les deux grands battants arrière d'un camion. Il a fait glisser à son tour une rampe. Mo a disparu à l'intérieur du camion. Le train a démarré sans grincer, en douceur.

Je surgis dans le wagon privé de Jack North.

— Où est Mo ? Où est mon éléphante ?

Il est assis tranquillement derrière son bureau. Deux gardes du corps l'encadrent. Ma respiration est saccadée ;

je tremble de tous mes membres. Jack North ne prend pas la peine de me regarder. Il marmonne :

— Je l'ai vendue.

— Vous me l'avez vendue à moi !

— Je vends ce qui m'appartient à qui je veux !

— Vous me l'avez vendue à moi, monsieur North ! J'ai les cinq mille cinq cents dollars dans ma poche. Où est-elle ?

— Entre les mains de la personne qui m'en a offert quatre mille cinq cents de plus, ricane l'homme d'affaires.

— Espèce de salaud !

— Vous croyez que l'on peut me doubler ? Je n'oublie jamais rien. Il y a longtemps, vous vous êtes enfui avec mon éléphant ! Œil pour œil, mon ami !

Je bondis sur le bureau, saute sur North et lui écrase mon poing sur la figure. Il n'aura plus jamais de problèmes de caries dentaires. Les gardes réussissent à me maîtriser. Ils me traînent hors du wagon. Je hurle :

— Où est-elle ? Où est Mo ?

Une voiture de police et une ambulance arrivent de concert. Jack North, allongé sur un brancard, est emporté aux urgences. Je suis jeté sur la banquette arrière du véhicule de police. Cinq minutes plus tard, je me retrouve derrière les barreaux.

Au tribunal des flagrants délits, le juge écoute patiemment les explications des avocats. Le débat ne porte pas sur la raison qui m'a conduit à frapper M. North, tout le monde l'ayant comprise, mais sur la gravité des blessures que je lui ai infligées. Verdict ? Trente jours de prison avec sursis, un an de mise à l'épreuve et le règlement des frais d'hôpitaux, sans oublier le remplacement du bureau que j'ai cassé. Je m'en tire plutôt bien. Avec les cinq mille cinq cents dollars qui devaient me permettre de racheter Mo, je paie les avocats et les dédommagements.

Jack North en a pour un mois avant d'être remis sur pied. Pourtant, le mal que je lui ai fait est ridicule à côté de celui qu'il m'a fait. J'imagine le sourire qui s'épanouit sur sa bouche édentée en pensant à ma douleur.

J'ai plus de quarante ans, ma vie tombe soudain en ruine. Je m'appuie sur Gertie, sur son amour comme sur une canne. L'existence continue, mais, sans Mo, elle n'a plus le même goût.

DEUXIÈME PARTIE

Fauves sympa

La société Fauves sympa fournit aux producteurs de films et de séries des animaux dressés. David, le directeur, reçoit un appel du patron d'une chaîne de télévision.

— Pour les prochains épisodes de notre feuilleton, nous avons besoin d'un éléphant. Merci de nous en procurer un au plus vite. Au revoir !

David bondit.

— Attendez ! Vous en avez besoin pour quand ?

— Dans trois mois. Un éléphant dressé, évidemment.

— Dressé à quoi faire ?

— À s'asseoir, à faire la révérence, à sauter à travers des cerceaux enflammés, rien que des trucs simples. Je compte sur vous. Au revoir !

Le grand patron a passé commande comme si David avait un éléphant en stock dans les tiroirs de son bureau. Sa compagne, Toni, réagit vivement.

— Tu n'es pas un peu fou d'avoir dit oui ?

Le visage de David est dépourvu de toute expression. Toni poursuit :

— Si tu connais un éléphant qui sait faire des salamalecs, tu seras gentil de me le présenter !

David retrouve sa respiration.

— Si j'en connaissais un, je serais tranquille, soupire-t-il.

— Alors pourquoi tu lui as fait croire que tu en avais un ?

— Réflexe professionnel. Je ne pouvais pas dire non. Il aurait annulé notre contrat. J'ai fermé ma gueule pour ne pas fermer le ranch.

— Il ne te reste plus qu'à greffer un tuyau en caoutchouc au museau d'une vache en espérant que les gens de la télé ne feront pas la différence, ironise Toni.

— Très drôle !

David convoque Franck, son associé, et les deux jeunes gens partent à la chasse à l'éléphant. Pour dix mille dollars, on leur propose un éléphant bagarreur, le genre à casser les décors à coups de trompe.

— De toute façon, dit Toni, les dix mille dollars, on ne les a pas !

— Si on perd le contrat avec la chaîne, on n'aura plus rien du tout, rétorque David.

— Des zoos veulent bien nous prêter des éléphants mais aucun n'est dressé, remarque Franck.

— On dispose de combien, exactement ? demande Toni.

— Mille dollars au max.

— Vous avez pensé au transport ?

— Le propriétaire livrera...

Les associés cherchent encore. En vain. La mort dans l'âme, David déclare forfait, prend le téléphone et demande à parler au directeur de la chaîne, lorsque Franck entre dans le bureau, un journal local à la main. Il vient de lire l'annonce suivante : *À vendre éléphant femelle de cirque, âgée, borgne, prix intéressant à débattre. Non professionnels s'abstenir*. Le numéro de téléphone correspond à une ville de l'Est. David regarde Franck.

— On essaie ?

— Sait-on jamais ?

David raccroche au nez du patron de la chaîne puis compose le numéro mentionné sur l'annonce. Une voix brutale crépite sur la ligne.

— Bo Jenkins à l'appareil ! Qui parle ? Allô !

David entend des cris de gosses en arrière-fond.

— Monsieur Jenkins, j'ai lu votre annonce concernant un éléphant femelle à vendre. Est-elle toujours disponible ?

— Ah ! ah ! Elle n'est pas terrible à voir. Elle aurait besoin d'un peu de viande et de pommes de terre.

— Combien en voulez-vous ?

— Mille dollars. Vous n'en trouverez pas beaucoup à ce prix-là. C'est une grosse affaire, vue sous cet angle.

— Qu'est-ce qui ne va pas ? Elle a des défauts, des mauvaises habitudes ?

— Écoutez, je discute pas. J'ai un éléphant à vendre. Vous prenez ou vous ne prenez pas. Si vous n'en voulez pas au prix qu'elle est, je m'en débarrasse tout de suite et je la donne à bouffer aux chiens !

Intuitivement, David comprend que l'homme bluffe. Il l'imagine chauve, bedonnant, en tricot de corps, sale et pas rasé.

— Je la prends, dit David.

— Vraiment ? C'est pas une plaisanterie ?

— Nous sommes en Californie, monsieur Jenkins, sur la côte ouest.

— Je sais où est la Californie, mon petit monsieur ! rétorque le susceptible Bo Jenkins.

— Alors, vous savez qu'il nous faudra une bonne semaine pour arriver jusqu'à vous.

— Attendez ! C'est pas facile de retenir quatre tonnes en vie une semaine de plus !

— Faites un effort. On arrivera le plus vite possible.

— Écoutez, je fais pas d'efforts. Si vous voulez l'éléphant, vous m'envoyez quelques dollars afin que je sois bien sûr du coup. Vous comprenez ?

— Vous savez vous faire comprendre, monsieur Jenkins.

— J'ai pas de temps à perdre avec des petits marioles.

David se met d'accord avec l'agréable M. Jenkins. Avant de raccrocher, il a la présence d'esprit de demander :

— Au fait, comment s'appelle-t-elle ?

— Modoc. Tout le monde l'appelle la Borgne.

David déniche une vieille semi-remorque à vingt-deux roues pour cinq cents dollars. Les parois métalliques sont rouillées, mais avec un peu d'huile et de dégrippant, et aussi quelques pneus neufs, l'engin avalera des kilomètres d'autoroute.

— C'est du vieux solide, remarque Franck avec admiration.

Un éléphant, ça pèse des tonnes. Pour le transporter, ils aménagent l'intérieur de la remorque avec un plancher en contreplaqué de sept centimètres d'épaisseur et percent des trous pour fixer des chaînes.

Toni est effarée.

— Ce n'est plus une acquisition, c'est une expédition ! Vous, les garçons, s'étrangle-t-elle, vous aimez aller au-devant des ennuis.

Les partenaires ont misé l'argent de leur jeune société sur une éléphante borgne. Ils regardent Toni et pensent aussitôt : l'éléphante est-elle capricieuse, désagréable, violente, caractérielle ?

Caractérielle, sûrement ! Du coup, ils couvrent avec des panneaux en plastique les fils électriques qui courent dans la remorque, de crainte que l'animal ne s'amuse à y farfouiller.

Enfin, tout est prêt. David et Franck prennent la route, direction la petite ville des monts Ozark où réside l'affable M. Jenkins. Ils n'ont jamais piloté une semi-remorque à vingt-deux roues et en éprouvent une impression de puissance et d'énergie qui les rend joyeux.

Les aventuriers traversent le désert de l'Arizona, gravissent péniblement les côtes des Rocheuses, franchissent le Texas, dépassent Chicago.

Après trois jours de conduite presque ininterrompue, le camion quitte l'autoroute et arrive dans un bourg. Les deux associés trouvent facilement l'adresse de Bo Jenkins. La maison est exactement comme David l'avait imaginée : déprimante, avec un porche défoncé et un jardin jonché de canettes de bière.

David et Franck sautent à bas de la semi-remorque. David est ému. Il éprouve devant les éléphants une crainte respectueuse, il les trouve à la fois intelligents et sensibles. Il est impatient de découvrir la Borgne. Les garçons cognent à la porte. Personne ne vient ouvrir.

— De toute façon, elle n'est pas fermée ! remarque Franck. On entre ?

L'intérieur de la maison est dans le même état que le jardin. Et toujours pas de traces de l'occupant. Ils font le tour de la bicoque. Au bout du jardin, deux gamins s'amusent à lancer des cailloux, loin devant eux, contre un arbre. Ce jeu stupide semble les passionner. Les jeunes gens font quelques pas dans leur direction. Aussitôt, une voix graveleuse les arrête.

— Sortez tout de suite de chez moi ! C'est une propriété privée, nom d'une pipe !

Un type chauve et bedonnant sort d'un cagibi qui doit faire office de remise à outils.

— Nous sommes les personnes qui vous ont appelé de Californie. Nous venons chercher l'éléphant, dit David.

— Ah, merde ! Pas de chance ! J'espérais que vous auriez finalement renoncé à l'argent.

Il s'essuie les mains sur son pantalon.

— Bon, allez, tant pis, ce qui est dit est dit. Je suis Bo Jenkins.

— Et moi, c'est David. Mon ami s'appelle Franck.

Ils se serrent la main. David sent une odeur forte qu'il ne parvient pas à localiser. Puis il entend un gémissement d'animal blessé.

— Touchée ! lance un gamin. Je l'ai eue en pleine poire !

Un peu gêné, Bo Jenkins aboie sur les gosses :

— On joue plus ! Rentrez chez vous ! J'ai du monde !

Un gamin fourre quelques pièces dans la main de Jenkins et part en galopant avec son copain. On les entend crier sur le bord de la route.

— On est des champions ! On est des champions !

Jenkins se tourne vers David et Franck.

— Venez avec moi.

Les trois hommes se postent à l'entrée d'un terrain d'environ un hectare clôturé par du fil de fer barbelé. David distingue un monceau de pierres insolite près d'un grand chêne mort. À la base de l'arbre, un gros câble de dépanneuse est attaché autour de la patte d'une forme vivante qui semble bien être celle d'un éléphant. Il réalise que l'animal attaché sert de cible aux petits lanceurs de pierres.

Sur un écriteau en fer-blanc suspendu à la branche de l'arbre, Franck lit à voix haute : *Mo, la Borgne — éléphant tueur. Ne pas approcher ! Danger !*

David se fâche.

— Vous laissez les gosses du coin jeter des pierres sur l'éléphant ?

Jenkins hausse les épaules.

— Faut bien qu'ils s'amusent.

— Vous les faites payer ! ajoute Franck. Je vous ai vu accepter des pièces de monnaie !

— Faut bien que je paie sa nourriture !

David est blanc de colère. Franck conserve son calme. Il rétorque :

— À en juger par son aspect, cet éléphant ne mange pas à sa faim. Elle ne reçoit peut-être pas assez de pierres ? C'est cela, monsieur Jenkins ?

Le propriétaire s'énerve.

— Écoutez, les gars, vous embarquez le monstre ou vous vous tirez. J'aime pas qu'on discute, je vous l'ai dit au téléphone !

Franck tend le cou pour mieux se rendre compte de l'état de Mo. Il fulmine.

— Bon Dieu, David ! Elle n'est pas montrable ! On va être poursuivis par la SPA pour mauvais traitements.

— Trop tard pour reculer, répond David.

Il se tourne vers le gentleman Jenkins.

— Que signifie cet écriteau ? Tueuse ?

— On me l'a dit. Elle a tué. Je ne lui ai pas laissé l'occasion de me le confirmer.

— Vous voulez dire que vous ne l'approchez jamais ? Et pour la nettoyer ou pour la soigner ?

— Jamais de la vie. Je suis pas branque ! J'ai pas envie de me faire décapiter !

— Vous l'avez depuis combien de temps ?

— Deux ans, à quelque chose près. On me l'a cédée. Bref, j'aurais jamais dû accepter. Elle n'est bonne à rien. Elle gémit sans arrêt. Une carne, si on peut dire ça d'un éléphant !

— Deux ans ! Vous voulez dire qu'elle est attachée à cet arbre depuis deux ans à recevoir les jets de pierres des petits crétins du bourg ?

— Il faut rester poli, les gars de Californie, surtout quand on est pas du pays, si vous voyez ce que je veux dire…

— Ça devient dur de rester poli avec vous, monsieur Jenkins ! s'énerve David.

— Écoutez, vous vous décidez. Vous me trouverez dans la maison.

Il tourne les talons et rentre dans la maison en pestant contre la Californie et les Californiens.

David et Franck s'arment de courage. Ils passent sous les barbelés, avancent à pas de souris vers la forme éléphantesque. Pour se tenir debout, Mo appuie la tête contre le tronc de l'arbre. À l'endroit où elle repose, un morceau d'écorce a été enlevé, preuve qu'elle prend cette position depuis longtemps. Elle écarte ses grandes oreilles aux bords irréguliers pour essayer de capter les bruits que font ses visiteurs.

— Elle est trop maigre d'au moins cinq cents kilos ! se désole David.

La colonne vertébrale arrondie saillit sous la peau, très tendue sous la cage thoracique, et retombe en plis distendus sous le ventre.

— Elle est aveugle de l'œil gauche, remarque Franck.

David voit sa patte. De loin, il n'a pas pu s'en rendre compte parce que Mo est attachée de l'autre côté de l'arbre, mais, de près, il constate que l'extrémité de la chaîne disparaît complètement dans l'épaisseur de la peau. L'entrave est restée si longtemps serrée autour de la patte qu'elle a fini par entrer dans la chair. À cause de ce gros boulet, David a l'impression d'une patte difforme.

— Je retourne voir Jenkins et je lui fais la tête au carré ! éclate-t-il.

— Ça n'arrangera pas le sort de ce pauvre éléphant ! soupire Franck.

Mo est décharnée, couverte d'hématomes et de coupures à cause des jets de cailloux. Il y a même des trous dans la chair aux endroits où les pierres les plus grosses l'ont atteinte. Elle n'a plus de poil sur la queue — Franck se rappelle avoir vu un bracelet en poil d'éléphant au poignet de Jenkins.

David l'appelle doucement.

— Salut Mo, salut, ma vieille !

Mo lève haut sa tête pour examiner l'individu. Elle pousse une sorte de soupir du bout de la trompe en la bougeant vers eux. Un borborygme sort du fond de son estomac. L'œil mort n'a pas l'air en mauvais état. Il y a juste un voile blanc là où aurait dû se trouver la paupière.

Mo se balance nerveusement de droite à gauche.

— Jenkins est un connard, mais on lui a dit que c'était une tueuse. Il ne l'a pas inventé, intervient David, soudain effrayé.

— Tu as le crochet ? demande Franck.

Mo tire tellement sur sa chaîne qu'elle lui déchire un peu plus les chairs. De ses blessures ouvertes coulent du sang et du pus.

— De toute façon, dit David, maintenant qu'on l'a vue dans cet état, on serait des triples salauds de la laisser ici, hein ?

Cinq mètres les séparent de Mo. Ils n'osent pas les franchir.

— Un éléphant peut tuer en un éclair, murmure Franck.

— J'ai l'impression qu'elle cherche le contact plus que la bagarre, tu ne crois pas ?

— J'espère. Sinon, Toni héritera de tes dettes.

— Déconne pas ! Je la sens bien, cette bête. Elle est affectueuse. Elle meurt de faim et elle souffre. Elle n'est pas dangereuse.

David tend les mains vers Mo. Elle penche la tête vers lui, avance la trompe. Il pose ses doigts sur le bout de la trompe. On dirait que Mo reçoit une décharge d'électricité. Elle barrit, relève la queue et la tête, rabat les oreilles en avant.

— Elle est affamée de chaleur humaine, de contact, tout simplement, c'est certain, dit David.

Ils sont bouleversés.

Mo pose la trompe sur l'épaule de David, le palpe, le flaire de haut en bas et lui attrape délicatement le bout de la chaussure. Elle se met à trembler en produisant un borborygme guttural. David connaît suffisamment les animaux pour comprendre que Mo pousse un sanglot de joie, qu'elle exprime des années de douleur, de faim, de détresse.

Franck entreprend de détacher le câble. Impossible de le défaire à la main.

— Je cours chercher du matériel dans le camion !

Les animaux souffrent de la solitude comme les hommes. Ils subissent le même ennui, le même abattement quand la voix, l'odeur, la caresse de celui qui les accompagne leur sont retirées.

— On est là, ma belle, lui murmure David. On n'est pas très doués ni même très futés avec les éléphants, mais on va bien s'occuper de toi, tu vas voir.

Franck revient avec une tenaille. Il réussit à couper le câble. Un morceau reste enfoncé dans la patte. Il faudra appeler un vétérinaire pour l'enlever.

— Tu viens, ma belle ? demande Franck.

— On part en voyage ! lance David.

Mo s'ébranle. Pour la première fois depuis des années, elle peut marcher. Elle frissonne en traînant sa patte raide. Franck coupe les barbelés pour qu'elle sorte du terrain sans se blesser. Arrivé au jardin, David repère un tuyau d'arrosage. Il le lui place dans la gueule. Mo se remplit de litres et de litres d'eau. Puis elle suit les jeunes en claudiquant. Devant le camion, elle pousse un terrible barrissement. Croit-elle qu'il s'agit d'un véhicule du cirque ? Les voisins accourent. Ils retiennent leurs enfants contre eux dans la crainte de voir se déchaîner la tueuse. Elle gravit péniblement la rampe et pénètre à l'intérieur de la semi-remorque. Le plancher est garni de paille et un gros tas de luzerne fraîche l'attend.

— Il faut aller casquer l'autre salaud, maintenant, remarque David.

— Vas-y ! répond Franck.

David préfère ne pas avoir à subir le regard fuyant du gentleman Jenkins.

— J'y vais pas. Vas-y, toi !

— C'est toi, le patron. Assume !

— J'assume pas la connerie, tu sais bien. Devant un con, mon poing part tout seul !

Franck se dirige vers la maison pour terminer la négociation avec l'honorable Bo Jenkins.

La transaction conclue, les associés se congratulent : ils possèdent un éléphant ! Ils restent comme épatés par la formidable acquisition qu'ils viennent de faire. Ils grimpent dans le camion, la tête chaude.

— On vient peut-être de faire une énorme bourde, dit David en démarrant.

— Au moins, ça aura de la gueule ! rétorque Franck.

La passagère va-t-elle résister à huit jours de route ? Toutes les quatre heures, le camion s'arrête sur une aire de repos. Les garçons descendent la rampe, et font marcher Mo de peur qu'elle ne s'ankylose. Le sang doit circuler dans sa patte blessée, qu'ils saupoudrent de pénicilline afin de prévenir une infection éventuelle. Les automobilistes ralentissent pour admirer la promenade de santé de l'éléphante, ce qui provoque des embouteillages. Dans les stations-service, les employés abandonnent leurs tâches et la regardent engloutir des litres d'eau. Mo attrape le tuyau de la pompe avec la trompe et l'introduit elle-même dans sa gueule. Elle règle le débit en posant la patte sur le tuyau.

Chaque matin, il faut trouver de quoi la nourrir. Elle mange une vingtaine de kilos de céréales et quinze kilos de luzerne, ce qui représente à peine le quart de la ration alimentaire d'un éléphant. Mais lui surcharger l'estomac après des mois de sous-alimentation aurait été dangereux.

Au Texas, la température monte parfois à 40 degrés. Idéal pour la toilette. Mo est décrassée, lessivée de fond en comble. Elle lève la patte en émettant un petit couinement.

— Elle reprend du poil de la bête ! s'exclame Franck.

Les jeunes gens ont du mal à venir à bout des croûtes et des saletés incrustées dans la peau. Ils découvrent sa vraie couleur : gris velouté. Ils s'émerveillent devant le reflet rosé de ses pommettes et des plis de ses oreilles.

Un éléphant, ça tangue énormément. Au fil des kilomètres, David et Franck deviennent maîtres dans l'art de piloter un gros cube tractant un animal de quatre tonnes.

Sur terre, sur mer ou sur route, les éléphants se balancent en permanence pour maintenir une bonne circulation sanguine. L'accident arrive lorsque l'animal penche vers la droite quand le camion vire à gauche. La bonne méthode consiste à aborder un virage lentement. C'est d'ailleurs la seule. On ne peut pas empêcher un éléphant de tanguer.

Aux frontières des États, les policiers, incapables de lire sur la balance le poids du camion en raison du roulis ininterrompu que Mo fait subir à la remorque, abandonnent le plus souvent en lançant un péremptoire : « Circulez ! »

Le camion atteint la Californie. David et Franck engagent le poids lourd sur le chemin cahoteux qui conduit au ranch des Fauves sympa. Mo barrit sans cesse. L'odeur des autres animaux lui rappelle des souvenirs. David klaxonne joyeusement. Les chevaux et les zèbres caracolent dans leurs enclos. Les aras et les paons poussent des cris aigus. Les chameaux interrompent leur mastication.

Les autruches courent en zigzag comme des ballerines en tutu.

Toni et les amis viennent accueillir Mo. C'est la fête. La rescapée a droit à du pop-corn, à des bonbons, à des sucettes et à des biscuits faits par la maîtresse de maison. Elle dévore même le bouquet de fleurs qu'on lui offre !

On a déblayé un garage pour lui faire de la place. Une chaîne légère, longue de vingt-cinq mètres, fixée à une patte arrière lui permet d'aller et venir à l'intérieur comme à l'extérieur de l'abri. Une baignoire toujours remplie d'eau est placée à portée de trompe.

— Cet animal, dit le vétérinaire à David et à Franck, n'aurait pas survécu à un autre hiver. Vous êtes arrivés à temps, les garçons...

Il examine les dents et décide qu'il faut limer les molaires. Lorsque le régime alimentaire est mauvais, les molaires d'un éléphant deviennent pointues ; il faut alors les égaliser avec une grande râpe d'acier pour leur rendre leur efficacité. David et Franck s'occupent des ongles de la dame. Ils sont trop longs, noueux, cassés. Ils taillent, liment, polissent pendant quatre heures, conscients qu'il faudra des mois avant qu'ils ne redeviennent normaux. Ce travail accompli, le vétérinaire se concentre sur la partie névralgique, la cheville. Il faut opérer. Mais, vu le mauvais état de santé de l'animal, il ne veut pas l'anesthésier. Il espère qu'un analgésique local suffira. Il compte sur le caractère doux de Mo pour réussir l'opération.

Elle est emmenée sur une petite aire cimentée que David et Franck utilisent habituellement pour nettoyer chameaux, chevaux et zèbres. Mo s'agenouille, se couche et attend docilement. Les médicaments agissent. Le docteur commence à couper circulairement avec un grand scalpel le bourrelet de peau qui enveloppait la chaîne. La peau est si dure, si compacte que le vétérinaire demande à David et à Franck de le relayer pour la cisailler et écarter les chairs qui adhèrent à l'entrave de métal. Malgré le coagulant, Mo saigne beaucoup. Après chaque passage du scalpel, Toni tamponne la plaie avec des compresses de gaze et de coton. Franck rassure Mo en lui parlant et en la caressant.

— C'est extraordinaire qu'elle ne soit pas morte du tétanos, s'exclame le vétérinaire.

Une sorte de corne très dure s'est formée autour du câble. La rouille a teint la peau en brun foncé. Franck scie le boulon qui serrait le câble. Le vétérinaire et lui saisissent chacun une extrémité du filin et le font glisser sur la chair à vif en s'aidant d'un petit scalpel pour le désincruster. Le plus pénible est fait. Maintenant, ils nettoient et désinfectent la plaie, qui a six centimètres de profondeur. Mo saigne toujours, il faut lui redonner des coagulants.

Le docteur lui fait des piqûres d'antibiotiques. Les jeunes gens posent les bandages et fixent une jambière spéciale en forme de cône autour de la blessure pour la protéger de la poussière et des palpations intempestives de la trompe. L'opération terminée, Mo lance les pattes en avant puis les ramène sous elle, s'assoit et se redresse. Tout va bien !

Le vétérinaire prescrit une cure de vitamines et de minéraux. Il la vermifuge et laisse les jeunes soigner les petites blessures et les hématomes. La convalescence prendra plusieurs semaines.

La date du tournage approche. Mo a repris une bonne centaine de kilos. Sans être vraiment rétablie, elle est devenue « présentable ». Est-elle « filmable » ? Le patron de la chaîne de télévision exige un éléphant dressé.

La deuxième phase de l'opération commence. David et Franck aménagent une piste de cirque avec des rondins de chêne.

— Parce que, maintenant, vous savez dresser les éléphants ? s'esclaffe Toni.

— Il le faut ! J'ai eu le producteur du feuilleton au téléphone ce matin, il débarque la semaine prochaine ! répond David.

— Vous, les garçons, vous aimez aller au-devant de l'impossible...

Toni rameute les membres — bénévoles — de la petite société.

— Je demande à voir ! fait-elle.

Franck a acheté un disque de musique de cirque. Il installe le pick-up dans un coin. David déplace quelques bûches pour permettre à l'éléphante d'entrer dans l'arène.

Le plus surprenant spectacle qu'ils aient jamais vu de leur vie commence alors.

De sa propre initiative, Mo marche vers le centre de la piste et se met à danser au son de la musique. Son énorme corps frissonne et chancelle, mais elle présente bien l'esquisse d'une chorégraphie élaborée.

Toni applaudit, épatée.

— C'est elle qui va vous dresser, les garçons !

L'éléphante enchaîne pirouettes et demi-tours. Elle retrouve ses automatismes. Elle s'amuse. Elle fait le tour de l'arène sur un rythme de valse : un, deux, trois, un, deux, trois, un deux, trois en virant sur le troisième temps. Les muscles sont affaiblis, la patte malade la gêne, mais elle continue. La trompe en l'air, le port de tête royal, elle enchaîne pas de valse et pas de parade, tournoie sur l'arène en terre battue en soulevant des nuages de poussière. Elle est à nouveau la star du grand chapiteau applaudie par des milliers de spectateurs. Tout lui revient en mémoire : les odeurs, les rires, les clameurs. Le disque s'arrête : Mo, encore malhabile, fait une petite révérence.

David, Franck, Toni et leurs amis restent la gorge nouée, les yeux remplis d'étoiles, bouleversés et admiratifs. Ils retiennent leur joie de peur — comment dire ? — de faire preuve d'une exubérance déplacée. Mo les regarde de son œil valide. Elle attend leur réaction. Elle semble leur dire : « Alors, quoi, ça ne vous plaît pas ? » Les jeunes gens crient, sifflent, frappent dans leurs mains, entourent, embrassent, caressent l'artiste. Ils viennent d'acquérir pour mille dollars un éléphant exceptionnel ! Ils ont sauvé de la mort un être merveilleux ! David se rend compte que la blessure à la patte s'est rouverte. Aussitôt, il ramène Mo dans le garage pour la soigner.

Hollywood

Les années ont passé. À bord de notre camionnette, Gertie et moi traversons le pays sans relâche à la recherche de travail. On ne reste jamais longtemps quelque part. J'ai toujours dans le cœur l'espoir de retrouver Mo. Nous faisons le tour des entreprises qui s'occupent des animaux exotiques. Les sociétés de ce genre sont presque toutes implantées dans le nord de Los Angeles, près de Hollywood. Fauves sympa est situé à Aqua Dulce, dans une région désolée, dépourvue de végétation.

En empruntant le chemin qui conduit au ranch, le paysage change d'un seul coup : chênes, palmiers, sycomores. Au milieu de cette floraison évoluent des orangs-outangs, des léopards, des chimpanzés, des tigres, des lions. Un paradis caché dans le désert.

Je gare la camionnette devant l'entrée du ranch. En sortant du véhicule, humant l'air, je dis à Gertie :

— Ils ont un éléphant, ici !

Un gardien s'approche.

— Madame, monsieur... Que puis-je faire pour vous ?

— Nous cherchons du travail.

— Désolé, mais les patrons sont absents. Ils rentreront tard. Il vaudrait mieux que vous reveniez.

Le gardien tourne les talons, visiblement occupé.

— Qu'est-ce qu'on fait ? demande Gertie.

J'avance en jetant des regards anxieux de droite à gauche.

— Je suis sûr que Mo est ici !

— Tu crois ? me répond Gertie d'une voix lasse et triste.

— Elle est là, je te dis !

Je pénètre à l'intérieur de la propriété. Gertie me suit, quelques pas en arrière. Personne ne fait attention à nous. Aux aguets, attentif au moindre signe, je progresse dans la cour. Soudain, poussé par l'espoir ou par le désespoir, je m'entends hurler comme un fou :

— MO ! MOSIE ! MOOOOO !

J'ai la voix étranglée. C'est un cri de malheureux. Depuis des années, je la recherche à travers les États-Unis. Rien ne me dit qu'elle est encore en vie. Sans doute a-t-elle été abattue et transformée en pâtée pour chiens... Il serait raisonnable de l'admettre. Mais non, je me fie à l'intuition, et, au fond de moi, je sais qu'elle n'est pas morte. Gertie m'accompagne sans dire un mot. Je sais que son regard est baigné de mélancolie. Elle souffre autant que moi de la perte de Mo. Je continue à hurler, plutôt à implorer :

— Mo ! Mo ! Tu es là ?

Ce que j'entends, ce que nous entendons ressemble à un tremblement de terre, à une explosion d'énergie qui fait vibrer l'air. Jamais personne n'a entendu pareil barrissement.

L'appel provient de là-bas, de derrière le bâtiment... Je cours, je cours... et je la vois ! Mo a brisé sa chaîne. Trompe au vent, elle clopine à ma rencontre malgré une patte blessée.

— MOOOOOOO !

Elle barrit, défonce une clôture, projetant pieux et barbelés, beugle, secoue la tête, écarte les oreilles, essaie de me voir de son œil valide.

— Je suis là, Mo !

Elle m'attrape avec la trompe, me serre, me balance en l'air, danse en poussant une série de petits couinements perçants.

Gertie se jette sur elle.

— Mo ! Mo ! C'est bien toi ! Dieu du ciel, c'est toi !

Nous nous sommes enfin retrouvés après tant d'années.

Le gardien, figé dans ses bottes, nous regarde, saisi. Pour le rassurer, je lui lance joyeusement :

— C'est rien ! On est de la famille !

David et Franck nous découvrent dans le garage occupés à panser la patte de Mo. Notre présence les contrarie vivement. Le bonheur de Mo est tellement visible qu'ils s'assoient finalement sur la paille pour écouter nos explications. Leurs amis arrivent et entrent dans le garage. Nous formons un petit groupe autour de l'éléphante.

David est bouleversé.

— Je n'ai jamais entendu une histoire pareille. Je n'en reviens pas ! Comment avez-vous tenu le coup ? Quelles fantastiques aventures !

Le courant de sympathie circule immédiatement entre ce jeune homme et le dresseur expérimenté que je suis devenu. Nous découvrons que notre regard sur la vie et les animaux est proche. Lui aussi est un adepte du dressage en douceur.

— Si vous cherchez du travail, fait David, vous êtes les bienvenus. Seulement, le salaire, il n'y en a pour ainsi dire pas. Nous sommes des intermittents du spectacle. Les contrats sont durs et rares, dans l'industrie du cinéma. Nous arrivons à peine à couvrir les frais du ranch. Nous dépendons complètement du bon vouloir des producteurs. Comme vous avez pu le voir en arrivant, nous ne sommes pas une grosse société. À vous de choisir.

Gertie et moi répondons d'une même voix :

— On commence demain !

Les années heureuses succèdent aux années sombres. La participation de Mo dans le feuilleton a été remarquée. Elle devient le porte-bonheur de la société Fauves sympa. En plus de toutes ses qualités, c'est une une *public relation* de poids. Elle intéresse les producteurs de Hollywood. Les acteurs peuvent travailler directement avec elle sans danger ; les réalisateurs gagnent du temps, donc de l'argent. La vogue des animaux acteurs est lancée. Le succès est tel qu'en quelques années la société Fauves sympa s'agrandit. Elle change même de nom pour s'appeler Afrique-USA en raison du grand nombre de ses pensionnaires d'origine africaine.

Modoc, Zamba le lion, J. l'orang-outang, Judy la guenon, Clarence le lion qui louche deviennent les premiers animaux stars du cinéma.

— Mo est en train de perdre son œil valide. En raison tout simplement de son âge. Elle paie le prix de toutes les épreuves qu'elle a subies.

Je sais que le vétérinaire a raison. Le mois dernier, j'ai dû aplanir le terrain dans le garage pour qu'elle cesse de trébucher.

— Il est temps qu'elle prenne sa retraite, ajoute le véto.

Ma réponse fuse.

— Hors de question ! Elle va s'ennuyer.

— Au moins, évite-lui la fatigue.

— Elle pourrait faire des balades avec les enfants de l'école voisine ?

— Ce genre d'activité, d'accord, approuve le véto.

Moi aussi, je me sens fatigué. Une fatigue que je n'avais jamais éprouvée jusqu'à présent. Comme un signal. Le signal insistant que l'existence tire à sa fin.

À Hollywood, j'ai la réputation d'un dresseur chaleureux et affable. Un producteur de cinéma, propriétaire d'une villa à Beverly Hills, me demande d'apparaître avec Mo pour animer une réception. Il veut que l'éléphante se tienne au sommet de la colline qui surplombe sa propriété afin que tous les invités puissent l'admirer. Ce n'est pas fatigant pour Mo. J'accepte. Elle est presque aveugle et m'obéit à la voix. Du moment que je la nourris, que je lui donne à boire, que je m'occupe d'elle, tout va bien.

Les animaux font souvent preuve de plus de sagesse que les humains. Mo s'habitue à la cécité. Elle l'accepte. Le handicap n'altère pas son humeur. Elle peut toujours enrouler sa trompe autour de moi et émettre son petit borborygme affectueux.

Mo resplendit au sommet de la colline. Le gratin de Hollywood s'extasie et les grands pontes veulent se faire photographier avec elle. L'éléphante accepte le remue-ménage mondain sans rechigner. Elle en serait même gourmande. Cette éléphante est née pour être star.

Moi, les mondanités me fatiguent vite. En fin d'après-midi, je me repose à l'ombre d'un arbre, près de Mo. C'est alors que je vois la silhouette d'un homme approcher. L'individu est très âgé mais costaud. Il porte un pull à col roulé et un pantalon trop large. Il a sur la tête un chapeau cabossé et aux pieds de grosses chaussures de chantier. Il traîne un peu la jambe en montant les marches. Parvenu à ma hauteur, il m'ignore et se dirige droit vers Mo. Je me redresse.

— Attendez, monsieur !

Il ne m'écoute pas. Il se fiche de moi. Je me mets péniblement sur mes vieilles jambes. Je surprends le rustre serré contre Mo. Il sanglote presque. Mo palpe doucement sa figure et le gratifie d'un borborygme amical. Je pose la main sur son épaule. Je veux voir son visage.

L'homme se découvre et me regarde droit dans les yeux. Une marée de souvenirs remonte d'un seul coup, et je m'écrie :

— La Poigne !

Il jette les bras autour de mon cou.

— Bram, tu m'as reconnu !

Je lui prends les mains, ses redoutables battoirs qui m'avaient remonté de la cale à la cabine du capitaine Patel, ses nageoires calleuses qui m'avaient cueilli sur la mer en furie. Mon ami, qui m'avait donné l'espoir et la force de continuer à surnager.

— Toi, ici, la Poigne ? À cette réception ? C'est vraiment le dernier endroit où je pouvais espérer te repêcher !

— J'ai été invité par un ami. Je m'ennuyais. J'allais m'en aller quand j'ai reconnu l'éléphant. Ça m'a retourné de la revoir. Mais toi, je ne t'ai pas remis, habillé comme un milliardaire !

— J'ai essayé de te retrouver, la Poigne. Kelly Hanson t'a cherché partout à Calcutta ! Un marin est même venu me dire qu'il t'avait tué !

— J'ai le crâne solide. Vous ne pouviez pas me retrouver. Je suis rentré en Angleterre par le premier bateau. Tous les copains disparus, et toi, le gamin à l'éléphant, on m'a dit que tu t'étais noyé. Je ne voulais pas rester en Inde. J'ai travaillé comme docker à Southampton. De temps en temps, je me suis engagé sur des bateaux à la recherche d'une meilleure situation. J'ai bourlingué, comme on dit. Ma vie est là-bas, en Angleterre. Je rentre au pays définitivement. Mais, avant, je compte faire une escale en Inde. Je ne sais pas pourquoi mais quelque chose me dit qu'il faut que j'y aille. Peut-être que je dois y retourner pour me délivrer d'un poids... Celui des morts ? Je n'en sais rien. Après le naufrage, je n'ai jamais pu m'installer durablement quelque part. Tu comprends de quoi je parle ?

Bien sûr que je le comprends, la Poigne ! Mon ami !

— Je vais te présenter ma femme. Et on va se faire une fête privée du tonnerre, tous les trois. Je veux dire tous les quatre, avec Mo !

Pour compenser sa cécité, Mo balance inlassablement la trompe, un peu comme un aveugle avec sa canne blanche. Elle palpe tout ce qu'elle trouve à sa portée, qu'elle soit immobile ou en marche. Si elle rencontre des gens, il faut qu'elle les touche. C'est sa façon de communiquer. Malheureusement, sa trompe ne cesse de heurter les chaises, les tables, les lunettes. Tout objet non solidement fixé valse sous ses coups tentaculaires. Cela rend nos promenades un peu mouvementées. Je décide de passer à l'action.

— Mo, aujourd'hui, je vais t'apprendre quelque chose de nouveau.

Je glisse le bout de sa trompe sous la ceinture de ma veste.

— Agrippe-toi bien, et on y va. C'est moi qui te guide !

La nouvelle méthode fonctionne. Où que nous allions, Mo passe la trompe sous ma ceinture et nous partons « bras dessus, trompe dessous ». Elle avance sans trébucher. Elle me fait une confiance aveugle...

Je lui apprends à monter et à descendre les marches qui mènent à l'arène d'entraînement.

— Tu dois avoir un but dans la vie, Mo. Il faut que tu continues à travailler.

Elle accomplit son numéro jusqu'au bout, plus lentement, avec moins d'élégance, mais sans hésitation.

Pendant nos promenades, je lui parle, les mains repliées dans le dos. Mo écoute en balançant la tête, comme si elle acquiesçait.

— J'ai pensé à l'éléphantérium, ces jours-ci. Tu te rappelles Atoul, l'éléphant blanc ? Il m'a fait comprendre que toutes les choses doivent changer de forme pour vivre. Quand nous mourons, nous nous changeons en cendre, en gaz… qui se transforment aussi en arbre et en toute autre chose.

Tout en parlant, j'aperçois Gertie. Elle m'observe avec inquiétude.

J'ai la gorge serrée. Je caresse Mo à l'intérieur de l'oreille à l'endroit où sa peau est douce et veloutée.

— Et toi, tu vas te transformer en quelque chose de grand et de splendide ! Tu vas te fondre dans le cosmos, et tu seras au centre de l'univers, à côté de Dieu. Nous nous retrouverons là-haut !

Ma voix se brise. Je ne peux retenir mes larmes.

— Tout ce que je te demande, Mo, c'est de ne pas partir la première.

Je pose doucement la main sur son œil blanc et caresse la peau autour. Mo reste inerte, la tête basse. J'entends un couinement à peine audible.

— Je suis désolé, Mo, d'avoir dit tout ça. Je suis un sale égoïste, tu sais.

Gertie se confie à Toni.

— Bram ne tourne pas rond !

Toni va trouver David et Franck.

— Vous, les garçons, vous avez de la peau de saucisson sur les yeux ! Vous ne voyez pas que Bram ne tourne pas rond ?

David convoque le personnel du ranch dans la salle de réunion.

— Bram ne tourne pas rond. Pourquoi ? Il ne veut pas entendre parler de retraite pour Mo ni pour lui-même. La retraite, selon Bram, c'est la mort. Nous ne parlerons donc pas de retraite. Mais nous devons tenir compte que Mo a soixante-dix ans. Et nous devons aussi tenir compte que Bram ne cessera jamais de la faire travailler. Voici ce que nous allons faire : une fête. Nous allons célébrer les soixante-dix ans de Mo et les soixante-dix ans de Bram. Nous allons les honorer en organisant un grand spectacle !

Afrique-USA loue un chapiteau. David envoie des invitations. Je suis ravi. J'entraîne Mo soir et matin. Le jour de la représentation, je la nettoie, l'asperge de parfum. Mo ne tient pas en place. Elle joue à palper mon nez et à me décoiffer. Je déplie sur son dos la couverture rouge et or. Puis j'enfile mon costume de lumière, enfin, juste la veste, car je n'entre plus dans le pantalon. Soudain, je m'assois. Les souvenirs me reviennent sans que je puisse les chasser. Je revois le visage souriant de mes parents, les cheveux noirs et soyeux de Sian. Je secoue la tête et les images du passé se décomposent en mille éclats scintillants.

Mo est si fière, la tête relevée, la trompe enroulée vers le haut ! Elle se tient droite, pleine de fougue. Il lui manque juste son casque de parade. Elle glisse sa trompe dans la ceinture de ma veste. Je lance l'ordre de marche :

— En avant, Mo !

Nous entendons la musique qui sort du chapiteau. Mo me suit en fourrageant de la trompe et en se dandinant au rythme de la musique. Nous entrons sur la piste.

Mesdames et messieurs, enfants du monde entier, voici Bram Gunterstein et le plus extraordinaire éléphant du monde, le seul, l'unique, l'éléphant d'or !

Un projecteur illumine le centre de l'arène. Je guide Mo puis je pars m'asseoir. Un orgue à vapeur entame l'air du spectacle.

Les oreilles rabattues en avant comme pour mieux écouter la musique, Mo commence par louper son départ !

Apparemment.

En fait, elle est ailleurs. Elle reçoit une autre musique qui vient d'un autre endroit. Elle oscille, puis danse sur un rythme à elle. Tant et si bien que l'orgue à vapeur finit par accompagner ses mouvements — ou peut-être est-ce elle qui impose cette illusion ? Elle trébuche une ou deux fois, renonce à certaines figures, perd légèrement l'équilibre, mais personne dans le public ne le remarque. Le chapiteau semble tournoyer au-dessus de Mo. L'éléphante revoit les rampes de projecteurs du cirque North, les acrobates sur les trapèzes volants, Gertie qui danse sur son dos près du lac Cryer, les fleurs des champs en Allemagne, le bonheur, rien que le bonheur, tout le bonheur.

La musique s'arrête. Tous les projecteurs s'allument.

Les applaudissements se déchaînent. J'aperçois, encadrant Gertie, Kelly Hanson et la Poigne ! Ils sont des centaines à être venus remercier Mo, tous debout, pour lui rendre le plus bel hommage, celui du cœur et de la fidélité.

Sur la piste, Mo tire sa révérence.

ÉPILOGUE

Bram mourra le premier, peu de temps après sa fête anniversaire.

Mo le rejoindra quelques jours plus tard.

Bram et Mo ne seront plus jamais séparés.

Composition réalisée
par Nord Compo
59650 Villeneuve-d'Ascq

Achevé d'imprimer par Rodesa en 2001
N° d'édition : 35467
Dépôt légal : août 2001